文春文庫

陰の季節

横山秀夫

文藝春秋

陰の季節／目次

陰の季節

陰の季節

1

春も間近の風音も、この部屋までは聞こえてこない。窓は終日閉め切られ、隙間なく引かれたカーテンにも厚みがある。空調は働いているようだが、耳障りな音の割りに効いていないことは、ここで半時もパソコンを叩いていればわかる。

D県警本部の北庁舎二階、五坪ほどの警務課別室は、普段あまり使われないこともあって、『別荘』とか『別宅』とか呼ばれる。もっとも、そう呼ぶのは警務課に属する人間だけで、それ以外の警察職員は、意味ありげな笑みを浮かべ、或いは微かな怯《おび》えの色を瞳に覗かせながら、『人事部屋』と揶揄《やゆ》する。「連中、いよいよ人事部屋に籠城だ」。そんなふうに使うのだ。

内示を五日後に控え、定期人事異動の名簿作成作業が大詰めだった。いや、本官と一般職を合わせて三千人に満たない所帯だ。異動規模も知れたもので、例年ならこの時期、『人事パズル』はとうに完成している。

作業がずれ込んだのは、今日の午後になって、監察課が面倒な情報を上げてきたからだった。県北の一大保養地を管轄するS署の署長が、管内の造園業者に、タダ同然で女房の実家の庭を造らせたというのである。

――くそったれが。

二渡真治《ふたわたりしんじ》は、パソコンの画面に映し出されたS署長の顔写真に毒づいた。

その見るからに人の良さそうな丸顔の署長は、昨春赴任したばかりだった。当然、今回の異動対象からは外れていたのだが、管内業者との癒着疑惑が浮かんだからには、『署の顔』として外の空気に晒しておくわけにはいかない。S署長の更迭を含め、明朝までに幹部人事を手直しするよう、警務部長に命じられたところだ。

二渡の人事担当歴は長い。警部補と警部時代を合わせて六年、一昨年警視に昇任し、組織運営の総合企画を担う警務課調査官を任ぜられてからも、人事の素案づくりに関わり続けている。ぎりぎりの頭数でやり繰りしている人事係が、課に昇格でもしない限り、上は、便利に使える二渡を手放さないだろう。

慣れっこだ。

見え透いたごますりにわけなく騙《だま》され、馬鹿殿よろしく大抜擢を乱発する本部長がいた。地方警察の実情も慣習も無視して、やたら人事に辣腕《らつわん》を揮《ふる》いたがる警務部長が、二代続いたこともあった。そんな腰掛けキャリアの彼らに、ああせいこうせいと人事パズルをいじくり回され、作業が徹夜続きになるのは恒例行事といえるし、そんなことにいちいち腹を立てていても仕方がない。

だが、今度のように無事、本部長決裁も下り、人事名簿が能率管理課へ印刷に回る直前になっての手直しは初めてだった。しかも、その理由が、キャリアの気まぐれでなく、身内であるはずの署長の非行だというのだから、二渡の眉もおのずからつり上がる。

——やはり、運転免許課か教養課あたりで眠ってもらうか。

マウスの手で画面の組織図を縦断しながら、二渡はS署長の収容先を探していた。一線でミソをつけた幹部は、本部の目立たないポストに引き揚げ、四、五年そこで塩漬けして頭を冷やさせる習わしだ。とはいえ、あからさまな降格人事は打てない。下手な課員より組織の内情に詳しい古株のサツ回り記者につつかれ、疑惑そのものを暴かれる危険がある。部内ではそれとなく懲罰人事とわかり、外に向けては『〇〇部門の強化』などと言い抜けられる、そんな玉虫色で懐の深いポストを充ててやるのが、人事の技だ。

——さて、どうするか。

免許課か教養課に引き揚げるとして、空き家となるS署にそれ相応の幹部を送り込まねばならない。単なる交替で済めば世話がないのだが、今いる免許課長をそのままS署に出したのでは抜擢に過ぎる。教養課長はさらにいけない。年齢、経歴ともに順当なのだが、彼はS署管内の出身だ。タブーを破るには、もっと別の、人事の信念といったような理由が求められるだろう。

――くそったれめ。

もう一度呪って腹を括《くく》ると、二渡は乱暴な手で決裁済の人事パズルを壊し始めた。結局はトコロテン式にやるほかない。免許課長をS署よりひとつランクが下のG署に出す。G署長を本部少年課に戻す。少年課長を生活保安課に横滑りさせ、その生活保安課長を……。

「二渡君、ちょっと――」

険しい顔のまま振り向くと、警務課長の白田が、半開きにしたドアの外から手招きをしていた。この別室には電話がない。外部への人事情報漏れと、外部からの情実交渉を遮断するとの建前からだ。県警本部の筆頭課長である白田といえども、本庁舎二階の警務部フロアから幾つも角を折れ、だらだら長い渡り廊下の床タイルを鳴かせてくる。

二渡は黙礼を返して席を立った。拍子に視線が何時間かぶりに壁の時計を過《よぎ》った。午後九時を少し回ったところだ。

「厄介なことになったよ。一緒に部長室へ来てくれ」

薄暗い廊下でも、白田の眉間《みけん》の深い皺が見て取れた。

――厄介なこと？

「S署の件でしたら今……」

言いかけて、二渡は迂闊な台詞《せりふ》を呑み込んだ。S署の一件など百も承知の白田がわざわざ腰を上げてきたのだ。しかもこの時間、官舎でブランデーグラスを揺らせているはずの警務部長が、まだ部屋に居残っているというではないか。

二渡は、デスクに取って返してパソコンの画面を処理し、引き抜いたフロッピーを金庫に納めて施錠すると、廊下を歩きだしていた白田の硬い背中を追った。パソコンから離れても二渡の顔は蒼白かった。

――このうえ何だ？

本庁舎に渡り、廊下の角を二つ折れて、そこから正面奥の本部長室までは赤い絨毯が敷かれている。その手前右手、警務部長室の引き窓から灯が洩れていた。

二渡は背筋を伸ばし、白田に続いて部長室に入った。絨毯の厚みがぐっと増す。ソファに凭《もた》れた大黒警務部長は、首だけ回して二人を迎えた。目元には不機嫌さを示す端上がりの線がある。

「厄介なことになったぞ」

大黒はぞんざいな手でソファを勧めながら、二人が座るのを待たずに、先ほどの白田と同じ台詞を低音で響かせた。

「なんでしょうか」

厄介な用件を聞く顔になった二渡に、隣の白田が伏目がちの視線を流した。

「実は、尾坂部《おさかべ》さんが辞めんというんだ」

「えっ？」

思わず驚きが二渡の口を突いて出た。

「ごねとるらしいんだ、あの男」

大黒は忌ま忌ましそうに言って、見開いた二渡の目を睨みつけた。

――そんな馬鹿な。

尾坂部道夫。三年前、刑事部長を最後に勇退した大物OBである。退官と同時に警務課で用意した天下り先のポストに収まった。そのポストの任期も県警の異動期に合わせてまもなく切れる。後任には、今回勇退する防犯部長の工藤が座ることで話がついていた。

それが壊れた。一時間ほど前、白田が、事務引き継ぎの日時を決めておこうと、尾坂部宅に電話を入れた。用件を切り出したところ、その必要はない、と一方的に電話を切られたというのである。

二渡の鼓動は速まった。

尾坂部が辞めずに居座る。ならば工藤部長の行き先がなくなるではないか。

退官幹部の再就職斡旋は、警務課が最も気を遣うところだ。力の見せ所でもある。それが、防犯部長まで務めた最高幹部のポストを用意できず、万一浪人させるようなことにでもなれば、警務課は物笑いの種だ。人事の失態は、そのまま、課の権威失墜にも繋がる。

――まずいぞ、そいつは。

「辞めないと仰ってる理由は何です？」

努めて冷静に訊ねたつもりで、だが、二渡の声は微かに上擦《うわず》った。

「それがわかれば苦労せん」

大黒は呻《うめ》いた。

どれほど些細な失点も嫌い、恐れる。

南国生まれの大黒は、地元の県警で巡査を拝命し、派出所勤務を経験している。そこで何を思い、どんな決意があったのか、数年後に上級職試験を受け、それにパスしてキャリアの仲間入りを果たした。いうなら、『半キャリア』だ。こうして地方では存分に威張れても、所詮、中央では『二軍の外野』である。純然たるキャリアを相手に出世レースでもなく、詰まるところ、さして重要でない本庁ポストと地方を行ったり来たりしながら、キャリアでもノンキャリアでもない者の悲哀を舐め続けてきた。歳からいってあと一つか二つポストを得るのがいいところだから、所帯は小さくてもいい、せめて最後は気候の温暖な平野《へいや》部の本部長に出たい。

わかってるな、貴様ら――。

そんな恫喝《どうかつ》を二渡は聞いた気がした。

「人事は上原係長に引き継いで、ともかく、尾坂部さんの真意を探ってくれ」

同じ恫喝を聞いたのだろう。二渡に調査を命じた白田の目には、懇願にも似た色が浮かんでいた。

暗い廊下を戻りながら、二渡は両手で頭を抱え込みたい心境だった。

真意を探れと言うが、要するに尾坂部の首に鈴をつける役回りを仰せつかったということだ。尾坂部の真意がどこにあろうと、組織の意思は決定している。尾坂部に引導を渡す。これは動かない。

――上は何のためにいるんだ？

二人にそう言ってやりたかった。いや、万事、火の粉を被らない白田課長はこう返すだろう。尾坂部さんの天下りの経緯を知っているのは、課内で君だけだ、と。

2

建設関連企業がずらり名を連ね、『産業廃棄物不法投棄監視協会』なる社団法人の設立を警務課に持ちかけてきたのは、尾坂部退官の半年ほど前のことだった。県下で土建絡みの汚職事件が相次いだ時期と重なるのは偶然ではない。県警とのパイプを欲した業界が知恵を絞り、法人新設を名目に協会の専務理事ポストを献上してきたのである。

警務課も話に乗った。それらしく形の整った天下りポストはいくらでも欲しいし、実際、その年まだ行き先の決まらない数人の勇退幹部の処遇に窮していた。捜査に手心などあろうはずもないが、しかし、毒と知って、毒を食らった気まずさは、誰ひとり産廃協会を話題にしないという形をとって、今も警務課内に燻《くすぶ》り続けている。

当時の警務部長は「三年で次の人に」と因果を含め、初代専務理事に尾坂部を送りだした。D県の場合、天下りポストの任期は概ね三年から六年である。尾坂部が最も短い部類の三年となったのは、その時そうすることで、当面五年ほど先までに見込まれる退官幹部の数と、手持ちの天下りポストの帳尻が合うと計算が立ったからだった。

——三年が不服だったのか。

まず、それが浮かんだ。帳尻合わせの計算をして報告書を上げたのは、当時警部で人事係長をしていた二渡だった。

——いや、まさか……。

寒々しい想像が二渡の心に忍び込んだ。

個室、秘書、運転手付きの車。そして、現役時代と比べても遜色《そんしょく》ない報酬。それをみすみす禅譲してしまうのが惜しくなった。そんなことだって考えられなくはない。欲にとりつかれたとなると厄介だ。『任期三年』といっても、口約束に過ぎない。いわば紳士協定のようなものだから、相手に、自分は紳士ではない、と居直られてしまえば、それきり打つ手がなくなってしまう。

しかし、過去に居直った人間などいないのだ。

警察組織は、他のどの組織とも違う、完璧なムラ社会だ。警察学校の門を潜《くぐ》った瞬間に産声を上げ、組織とともに生き、死ぬまで組織と縁が切れない。退官しても、警察官でなくなるだけで、警察人であることには変わりがないのだ。ならば、紳士協定は単なる約束ごとではない。掟《おきて》だ。その掟を破り、組織に背を向ける。ありえない。それは、尾坂部の、警察人としての死を意味するからだ。

別室に戻ると、二渡は上原係長にパズルの手直しを引き継ぐ旨を伝え、幾つかの注意を与えた後、自分のパソコンデスクについた。『警友会』のフロッピーを機械に突っ込み、一つ大きく息をして、尾坂部道夫のファイルを画面に呼び出した。

今さらながら目を見張る経歴だ。

旧自治体警察時代に奉職。巡査で出た派出所でバイク盗を次々挙げ、所轄の刑事課に配属となる。主に盗犯捜査に従事し、三年後には、刑事部捜査第一課の強行《きようこう》犯係に呼び上げられた。殺人事件など専ら凶悪犯罪を扱う『花の強行』である。その後、幾つかの所轄刑事課に出入りするが、軸足は常に強行犯係にあった。通算十四年、うち五年は班長を務めた。それからは、捜査一課の次席、刑事指導官、課長と刑事部の階段を駆け上がり、ついには頂点である刑事部長にまで登り詰めた。

その間に、所轄の刑事課長と、二つの署長をこなし、さらには機動捜査隊の副隊長、隊長まで歴任している。出向歴は、本庁の刑事企画課に二年と、これも申し分ない。

未解決で残した重要事件はわずか二件だ。捜査一課長時代に指揮した信金猟銃強盗事件と、刑事部長に着任早々起きたＯＬ暴行殺害事件である。一方、挙げた事件は数知れず、その項目はマウスをいくら操作しても延々続くようだった。

二渡は長い息を吐いた。

改めて驚嘆する。尾坂部という男は、刑事部から一歩も足を踏み出すことなく、四十二年間の警察人生を全《まっと》うした。一線の刑事ならば、それは近い者がいる。だが、そうした刑事一筋の経歴で刑事部長に座る男がこの先現れるかといえば、百パーセントない、と即座に断言できる。

警視庁など大規模な所帯とは違う。組織図でいえば、警務、警備、刑事、防犯、交通の五部制で全てが納まる。警務と警備の部長は警察庁人事だから、県警生え抜きの人間が座れる部長ポストは三つしかない。なかでも刑事部長はトップランクだ。刑事事件を指揮する最高責任者なのだから、刑事畑を真っ直ぐ歩いた人間が就くのが理屈だろうが、そうもいかない。朝も夜もなく事件を追い回す刑事たちに昇任試験の勉強をしている暇などないし、試験の前夜、古参刑事にしこたま酒を飲まされたなどという話も、決して苔《こけ》の生えた昔話ではないのだ。

そんなわけで、刑事畑をある程度耕しながら、その一方で他の部門にもかなりの期間在籍し、そこで実績を残しつつ、着実に昇任試験をクリアしてきた人間が、最終的に刑事部長ポストを射止める。いや、人事の巡りによっては、刑事の初歩も知らない畑違いの人間が座ることだってある。要は、同じ年代の中で警視昇任の年次が最も早かった者が、常にこの生え抜き最高ポストの最短距離にいるのだ。

二渡がそうだ。四十歳での警視昇任は同期の中で頭抜けている。もはや手錠や捕縄の扱いすら怪しい銀行員風の華奢な男が、しかし、望むと望まざるとにかかわらず、十数年後に刑事部長の最有力候補に挙がることは、人事に長じた二渡自身が一番良く知っていた。

だからかもしれない。画面を埋め尽くす尾坂部の経歴は、二渡を威圧し、あざ笑い、微かな嫉妬さえ強いた。

――たまらんな、こういうのは。

警察官なら誰でも一度は思い描く、その味わい深い刑事人生を体現し、総仕上げともいうべき刑事部長で花道を飾る。それはまた、人事の奇跡といってよかった。試験のみならず、際立った現場実務者に昇任を許す特進制度が確実に生きていた時代だったとはいえ、尾坂部の経歴は、やはり幾つもの偶然の上に成り立った奇跡だとしか二渡には思えなかった。

画面の上手に尾坂部の顔がある。

浅黒く、角張った、瞳の窪んだ、むっつりとした、刑事そのものの顔だ。

生理的に苦手なタイプだ。尾坂部が現役時代、二渡はそう決めつけているようなところがあった。二十年以上、同じ組織にいたわけだが、実際、接点らしい接点もなかった。刑事部内の人事構想のお伺いをたてに部長室を訪ねたり、予算絡みの注文で呼び出しを受けたことはあったが、それも数えるほどだ。尾坂部は、刑事部の各課がひしめく庁舎五階の住人であり、二渡は警務部門が集中する二階のそれだった。尾坂部の顔にしたって、写真にある、そのむっつりとしたものしか知らない。笑った顔も、怒った顔も、思えば見た記憶がなかった。

――とりあえず、ぶつかってみるしかないだろう。

内心強がってみせて、二渡は、尾坂部の住所を手帳にメモした。持ち家だ。ローン完済。家族は妻と娘三人。上二人はとうに結婚し、末娘は東京にいる――。

額に脂汗を浮かべる上原係長に、また幾つかのアドバイスを与え、二渡は庁舎を出た。冷たい風が頬を打ち、思わずコートの襟をかき合わせた。もう午前零時を回っている。

不思議でならなかった。

尾坂部が居座る理由は何だろうか。三年が短すぎたからか。それとも、手厚い待遇を惜しんでのことか。

どちらの理由も的外れに思える。二渡の網膜には、いま目にしたばかりの尾坂部ファイルが鮮やかだった。

――本気なのか？

誇りを捨て、組織を捨てる。業界の人となり、汚れた海を泳ぐ。あの尾坂部が。

「ありえん」

深い闇に没した庁舎を振り向き、二渡は呟いた。

第一次異動の内示まで五日しかない。いずれにしても、明日の朝一番で尾坂部にぶつかってみよう。部長室で味わったのとはまた別の緊張を感じながら、二渡は駐車場への足を速めた。

あろうことか、翌朝、二渡は尾坂部を取り逃がした。

いや、午前六時にはもう、尾坂部の自宅のある住宅地に車を乗り入れていた。表札もすぐに見つけた。ベニカナメの生け垣が一周する、部長経験者の家としては、いかにも慎ましい二階屋だった。

3

昔ながらの住宅地だから道幅は狭いし、まさか元部長の自宅前に車を乗り付けるわけにもいくまいと考え、来た道を戻って、河川敷近くの空き地に車をとめた。歩いて数分の距離だ。家の辺りをぶらぶらしながら、それとなく中の様子を窺い、朝食が済んだ辺りで声を掛けよう。そんな段取りを頭に浮かべて車を下りた。

歩きだしてすぐだった。目の前の市道を黒塗りのセダンが走り抜けた。運転席に白髪まじりの男の顔が覗いた。ノーネクタイだが、肩に張りのある濃い色のブレザーを着込み、ハンドルを握る手には白い手袋を——。

気づいた時には遅かった。セダンは住宅地へ入る角を折れた。青ざめるほど走って、ベニカナメを遠く視界にとらえたころには、白手袋が、後部ドアを閉めていた。大声で呼び止めるわけにもいかず、肩で息をしながら、後部ガラス越しに覗いた尾坂部の頭を呆然と見送った。

警務課のデスクで、二渡は今朝の失敗を苦々しく思い返していた。

もう七時半を回ったから、課員がぽつりぽつりと顔を見せはじめている。早朝出勤の二渡を見て驚くでもない。大方、パズルの直しか何かで、『別荘』に泊まり込んだのだろうと思っている。

二渡は、少々苛立った手で受話器を取り上げ、リダイヤルボタンを押した。四度目だ。呼び出し音が続き、だが、産廃協会の事務局に、まだ人はいないらしかった。

――どこへ行っちまったんだ？

あの早い時間に、尾坂部は迎えの車で自宅を出た。だが、協会には出勤していない。どこか山間部の方で午前中の会合でもあるのだろうか。

二渡は席を立ち、立ったままもう一度リダイヤルを押し、それでも何事も起こらないと知ると、コーヒーを運んできた斉藤婦警に、すまん、冷めても飲むから置いといてくれ、と言い残して課を後にした。

そろそろ大黒部長と白田課長が出てくる時間だった。今朝のことは報告できないわけだから、むざむざ「どうだ？」に身を晒す間抜けもいないだろうと思った。

別室に顔を出すと、案の定、上原係長が真っ赤な目でパソコンを睨みつけたまま固まっていた。髭は薄い方だが、それでも家に帰らなかったことは一目でわかる。

しばらく人事パズルに付き合うことにして、そうしながら二渡は、約束はとらず、直接、協会事務局を訪ねてみようと考えていた。尾坂部が本心、居座りを目論んでいるのなら、この微妙な時期、警務課からの『刺客』は避けたいところだろう。日が替わって、内示までもう四日しかないのだ。迂闊に電話を入れて、万一、雲隠れでもされたら、それこそ戦わずして負けが決まってしまう。

あの尾坂部が逃げたりするものか。行ってみて不在だったら、事務局の人間に探りでも入れてみよう。別の頭でそう思いながら、二渡は昼前になって、すがる目つきの上原係長を置き去りにした。

Ｆビルまでは、歩いて五分ほどだ。街並みから頭を突き出した、その近代的な半官半民ビルは、水色がかったミラーガラスが、刻々流れる雲を映して美しい。

高速エレベーターで瞬く間に十二階に上がり、案内板に従って廊下を進むと、幾つ目かのドアに協会事務局のプレートがあった。

フロアは驚くほど広かった。そこに十余りのデスクが、点在、といった感じで配置され、青々とした観葉植物の鉢植えが、一つ間違えれば会社整理中とでも見られそうなスカスカの空間を巧みに埋めている。

右手の壁には、肝を潰すほど大きな白地図が貼られていた。その巨大な県内地図に、色とりどりの丸い頭をもった待ち針が無数に刺され、これまた無数の赤い線が、地図上の道路をなぞるようにして放射状に走っている。何やら前衛的なオブジェでも見る思いだ。

二渡は数歩足を踏み入れて、衝立《ついたて》で仕切られた窓際の一角に首を伸ばした。遥か県境の山並みを一望する、その特等席が専務理事の執務スペースに違いない。が、衝立のすりガラスの向こうに人影は見えなかった。

——まあいい。

モデルのようなスーツ姿の若い女が、躾《しつ》けの行き届いた対応で二渡を出迎え、次いで、見るからに小物といったふうの初老の男が、鉢植えの陰からひょっと出てきた。手早く名刺交換を済ますと、宮城と名乗ったその事務局長は、意外そうに二渡の顔を見た。警察官といえば、まず身近にいる尾坂部のようなタイプを想像するのだろう。

「あいにく、専務は外出しておりまして」

宮城は、さも申し訳なさそうに言い、私で用が足りることでしたらなんなりと、の顔で奥のソファに体を開いた。

宮城とは初対面だが、素性は知っている。元は県職員で、確か環境衛生部の係長を長く務めた男だ。業界は、県警に専務理事のポストを差し出す一方で、バランスよく県庁にもいい顔を見せていた。それはともかく、宮城も一応は天下りの部類に入るわけだから、今回の居座り劇を固唾を呑んで見守っているに違いない。尾坂部の心境にしても、ある程度は察しているのではないかと二渡は踏んだ。

「専務は、今日はどちらへ？」

二渡が訊ねると、宮城は、えーと今日はですね……、と口ごもり、壁の白地図に視線をふらつかせた。

「おそらく県北の現場を回っておられると思うのですが、はっきりとは……。なにしろエネルギッシュな方ですから」

「現場、ですか？」

「ええ、産廃の投げ捨ての現場を視察に行かれているんです」

なるほど、白地図に刺された待ち針は、不法投棄の現場を示しているらしい。それにしても、この針の数はどうだ。ざっと見ても数百本という夥《おびただ》しさだ。大都市圏からダンプを連ねて産廃を捨てにくるという話はよく耳にするが、まさか、これほどとは、の思いがする。

――だが、なぜ視察に専務だ？

二渡は、三年前に目を通した協会の設立趣意書を思い返していた。

協会の業務は、主に啓発活動だ。企業に対しては、質《たち》の悪い産廃業者を使わないよう個別に指導し、県民向けには、県や市町村の広報紙を通じて、不法投棄を見つけた際の通報を呼びかけている。その通報に基づく現地視察も協会の仕事の一つだ。実際に投棄現場に足を運び、水源の近くだとか、投棄量が異常に多いとかの悪質なケースについては、調査結果をまとめて警察の捜査を促す。

宮城の話しぶりからして、尾坂部は、その現地視察に熱心なのだろう。だが、フロアを見渡せば、暇そうにしている若い男がごろごろいるではないか。人手が足りないのならともかく、今年六十三歳になる協会トップの専務理事自ら現地視察でもあるまい。

「専務の視察は多いんですか」

「はい？　ああ、ええ……」

宮城は少々バツの悪そうな顔になった。

「ほぼ毎日、行かれます」

「毎日？」

「ええ。ここ一年ほどは、本当に毎日です。誰か行かせると言うのですが、どうしてもご自分でと仰るものですから……」

二渡は、わかります、というように頷き、質問を続けた。

「今日のお帰りは何時ごろになります？」

「さあ、五時か、六時か……。ことによると直接、ご自宅へ戻られるかもしれません」

「途中から連絡とかは？」

「あまりなさらないですね。今日もまだ一回もありません」

期待外れだった。ワンマン専務理事に首根っこを押さえられた、この留守番専門の事務局長が、尾坂部の内面に立ち入っているとも思えない。情報収集は望み薄だ。

二渡は小さな息を吐き、改めて壁の白地図を見上げた。

尾坂部はこのどこかにいるらしい。

どれほどの縮尺なのか見当もつかないが、その縦横三メートルはあろうかという巨大な地図は、幹線道路はもとより、主だった市町村道や林道までも網羅している。

このフロアに入ってきた時、単に放射状の線と見えた赤鉛筆の軌跡は、注意して見ると、すべてが、ここ協会事務局の所在地を起点としていた。おそらく、過去の視察ルートを書き込んだものなのだろう、事務局を出発した線は、実に様々な道路を通って東西南北に延び、その先端は不法投棄現場を示す待ち針の根元へと繋がっていた。敵はこっそり捨てにくるのだ、やはり山間部に延びる線が多い。だから大方の線は、都市部を抜けるまで同じ幹線を走り、山が近づく辺りで幾つにも枝分かれし、そこからさらに散り散りに分かれて、毛細血管のごとくそれぞれの投棄現場へ向かっている。

壁際には脚立が立てかけられている。そんな面倒までして記された、膨大な数の待ち針と視察ルートの軌跡――。

それは、産廃協会の、いや、尾坂部個人の活動実績をアピールするのに、十分過ぎる代物《しろもの》ではある。

昼食の出前が勢いよく飛び込んできたのをきっかけに、二渡は潔く腰を上げた。

――一応、ぶつけるか。

二渡は、背後に見送りの足音が続くのを確認しながらドアまで歩き、さりげなく振り向いた。声は殺す。

「宮城さん――専務のこと、お聞きになりましたか」

宮城はすぐにピンときたらしい。

「ええ、伺いました。残留が決まられたそうで」

二渡は波立つ心を抑え、瞬く間に地上に下り立つと、県警本部へ重い足を向けた。

尾坂部に対して何の腹もないのだろう、宮城は屈託なかった。居座り騒ぎになっていることなど露知らず、尾坂部から、残留することになったと聞かされ、とっくにお祝いの台詞ぐらいは言った顔だった。

怒りがじわじわ這《は》い上がってくる。

尾坂部は残留を決めていた。組織に抗うどころか、組織などもともとなかったように、自分で自分の進退を決していた。

慢心か。それとも、仕事に対する自信か。いや、いまだ根っこのところがわからない。尾坂部はなぜ協会に残留したいと考えたのか。

若い女性秘書。広く快適なフロア。絶対服従の事務局長。早朝から自由にできる専用車。居心地はいい。確かにいいに決まっている。

だが、二渡の頭には別の閃《ひらめ》きがあった。

習性だ。

市民の通報を受け、現場に飛ぶ。産廃を掻き回し、出所《でどころ》の手掛かりを探す。それは、あまりに刑事の仕事に似てはいないか。

壁に巨大な地図を貼り、現場に待ち針を一本一本刺していく。それだって、凶悪事件を抱えた捜査本部の一場面を彷彿《ほうふつ》とさせるではないか。

刑事ボケ――。

ふと、そんな言葉が浮かんだ。

ゆうべ目にした輝かしい経歴と巨大な地図とが二重写しとなって二渡には見えた。尾坂部は壊れかかっているのかもしれない。そう考えると、背筋に薄ら寒いものを感じた。

――いや、まだ何もわかっちゃいない。

警務課に戻ると、白田課長の目配せが待っていた。部長室へ、そう言っている。歩きだそうとして、ふと、自分のデスクに置かれたコーヒーカップに気づいた。表面にうっすら埃が浮いている。

冷めても飲むから置いといてくれ――。

思わず緊張が緩み、細めた目は、背筋の伸びた斉藤婦警の後ろ姿をつかまえた。女にしてはどうかわからないが、この組織では、ことによると成功するかもしれない。

二渡は五時間前のホットコーヒーをひと口啜《すす》ると、課長の背中を追った。報告に値する何物も持っていない。部長室の空気はこのコーヒーより苦いだろうと覚悟した。

4

夕方、二渡は尾坂部宅を訪ねた。

尾坂部は帰宅していなかった。夫人も不在で、家は静まり返っていた。

二渡は、ブランコと滑り台しかない近くの公園で時間を潰した。子供の姿も、それを呼ぶ若い母親の姿もない。辺りは風景まで年老いていた。

恫喝はもはや空耳ではなかった。二渡がまだ尾坂部と接触できていないと知り、大黒部長は机に拳を落とした。その机に、真新しい名刺の束があった。工藤の名の脇に『専務理事』の肩書きが刷り込まれていた。直接、防犯部に届けられるはずのところを、白田課長が印刷所に先回りして押さえた。工藤はまだ、この暗闘を知らされていないのだ。いいな、何が何でも今日中につかまえて、辞めるよう言え――。

二渡は腕時計に目を落とした。決めていた五時半を過ぎていたので慌てて腰を上げ、尾坂部宅に足を向けた。

辺りは薄暗くなってきたが、二階屋のどこにも灯はなかった。尾坂部は協会にも帰っていない。公園を往復しながら、何度か電話を入れてみたのだが、その回数だけ宮城を恐縮させただけだった。

――もう一度電話してみるか。

歩きだした時だった。

「あの――」

振り返ると、スーパーの袋を下げた六十絡みの品のいい女が、ちょうど角を折れてきたところだった。

その控えめな表情に見覚えがあった。夫の昇進とともに自分も昇進してしまう女房が少なくない中で、尾坂部夫人の腰の低さは誰もが褒めちぎったものだ。

退任式後の慰労会で顔を合わせたから、夫人の方も二渡を記憶していたらしい。「役所の方ですよね？」と遠慮がちに二渡の目を覗き込んだ。

「上がってお待ちください。じき戻ると思いますから」

「いえ、大した用事ではありませんので、出直して参ります」

「そう仰らずに。主人に叱られます」

夫人は引かなかった。主人に叱られるというのは本当なのかもしれない。

――まあいい。こっちが逃げる理由はないんだからな。

二渡は、所属と氏名を明かし、改めて夫人に深く頭を下げると、敵の本丸に乗り込む思いで家に上がった。

通された和室には神棚があった。大明神の神符が祀られている。きちんと手が入っているとみえ、白木にくすみ一つなく、供した榊《さかき》の葉にも深い艶があった。欄間に、墨痕鮮やかな『治にいて乱を忘れず』の書が飾られ、壁には額に納まった『警察職員の信条』が、恭しく掛けられている。
一、誇りと使命感・国家社会への奉仕――。
尾坂部が、警察人であることに疑いはなかった。

壁際の小机には、いまどきの機能などまるで無視した素っ気ない電話機があった。それと並ぶようにして、日焼けをのがれた白い跡が見えるのは、警電《けいでん》の名残に違いない。その警察専用電話は、幾たび、事件の渦中に尾坂部を走らせたことだろう。

二渡は小さな息を吐いた。

夫人は、お茶を出したきり姿を見せなかった。愛想がないようでいて、重苦しい内面を抱えた今の二渡には、ありがたい配慮に感じられた。尾坂部の現役時代には、それこそありとあらゆる種類の人間たちが出入りしていたろうから、夫人には、訳ありの来訪など、とっくにお見通しなのかもしれなかった。

——なんと切り出すか。

息をひそめ、三十分ほど待っただろうか、外で、車のドアの閉まる音がした。それが合図のように夫人が部屋に現れ、「戻ったようです」と告げた。

二渡は、膝を整え、背筋を張った。

——当たって砕けろ、だ。

だが、尾坂部は姿を見せなかった。代わりにまた夫人が顔を出し、「なにか車をしてますね」と言って、生け垣の向こうに首を伸ばした。

二渡も立ち上がって外を見た。

尾坂部道夫が、ベニカナメの向こうの道に立っていた。角張った輪郭。窪んだ瞳。笑っても怒ってもいない、現役時代そのままの、むっつりした横顔がそこにあった。

二渡は、思わず身を引いた。自分より強い動物に不意に出くわしてしまった、それに似ていた。

尾坂部は、白髪まじりの頭だけ覗く運転手に、なにやら指示を与えていた。音からして、車のタイヤを交換しているようだ。

——くそっ。

二渡も、ここでこうして待っているわけにはいかなくなった。家の主は外にいて、いることがわかっていながら、客間で茶でもあるまい。夫人に深く頭を下げると、のっけから心理戦に敗れた思いで玄関へ向かった。

短い廊下を抜けるとき、灯の落ちた部屋に、結納の品々を見た。末娘の結婚が決まったか。ならば祝い金を出さねばならない。披露宴には各部長の祝電も必要だ。こんな時でも警務的な頭が一瞬働いた。

黒塗りのセダンはジャッキアップされ、運転手が腰を屈めてレンチを回していた。傍らで、尾坂部が岩のように佇《たたず》んでいる。

威風堂々。そんな古めかしい形容が、こうもぴたり当てはまる男も珍しい。

「部長、ご無沙汰しております」

二渡は足を止めて腰を折った。

『部長』は咄嗟《とっさ》に出た。さん付けでは礼を失す。専務と呼ぶわけにはいかない。その専務理事を辞してもらうためにここにいる。

無表情がこちらに向いた。

「やはりお前か」

自分より目下の人間は、例外なく『お前』だった。初めて尾坂部にお前呼ばわりされた時、既に三十も越え、スマートな警務課暮らしに慣れきっていた二渡は、殴りつけられたようなショックを感じたものだ。

しかし、二渡が続く言葉をなくしたのは、何年かぶりに、『お前』と呼ばれたからでは勿論なかった。

やはりお前か——。

尾坂部はそう言った。

上の連中は尻込みする。そして、警視二年目の、尾坂部からみればひよっこ同然の二渡あたりが使いに出される。尾坂部はすべてを読み切っていたのだ。

その尾坂部は、もう用が済んでしまったかのように二渡に背を向けていた。運転手はタイヤをスタッドレスに付け替えていた。明日は六時に家を出る。山深い、まだ雪の残る投棄現場へ視察に行く。二人のぶつ切れの会話が、やっとそれだけを二渡に知らせた。

二渡は、声を掛けるきっかけを失い、一歩下がって作業を眺めていた。セダンの後部座席に、山積みになった地図帳が見えた。昼間見た巨大な白地図といい、この地図帳の山といい、普通ではない気がした。

タイヤ交換が終わり、運転手が深々と尾坂部に頭を下げ、二渡にも軽く会釈して車で立ち去ると、尾坂部は体の向きを変えた。仁王立ちだ。家に二渡を上げるつもりはないらしい。さあ、言ってみろ。そんな顔だ。

――道端でする話か？

だが、どうしようもなかった。二渡は生唾を呑んだ。その音が尾坂部に聞こえたかもしれない。

「部長、お気持ちを聞かせてください」

二渡は、狭まった気道を無理やり開く思いで言った。

尾坂部は黙っていた。

「工藤部長の行き先がなくなります」

用意していたひと言だった。現役時代、尾坂部は三つ下の工藤に目を掛けていた。

だが、尾坂部は反応しなかった。窪んだ二つの瞳が、じっと二渡を観察するように見つめているだけだ。

「我々一同、困惑しております」

「……………」

「組織の面子《メンツ》も立ちません」

これも用意してきた。急所を突いたつもりだった。

尾坂部が口を開いた。

「心配するな」

「はっ？」

意味するところは定かでなかったが、一瞬、光明を見た。

「何も起こりゃあせん」

「はっ？」

「ガタガタするなと言ってるんだ。過ぎてしまえば、何もなかったことになる」

そう言って、尾坂部は踵《きびす》を返した。

二渡は呆気にとられ、だが、光明が消えたことだけは悟った。いや、そもそも光明などなかったのだ。

慌てて尾坂部の背を追った。

「部長なぜです？　お気持ちを教えて下さい。なぜ――」

無表情が振り向いた。

「お前らには関係ない」

ピシッと玄関が閉じられ、二渡の突き出した右手が虚しく宙を掻いた。

お前らには関係ない――。

お前らとは誰か。警務課か。それとも、警察組織そのものか。なぜ母である組織を敵に回すのか。

フッと玄関灯が消えた。

ありったけの勇気を掻き集めたが、呼び鈴は押せなかった。

もう帰って来なくていい。

幼いころ、父の財布から小銭を抜き取り、玄関でどーんと背を押された時の悲愴な思いが胸に蘇っていた。

警務課が遠い場所に感じられる。

ガキの使いとあしらわれた。禅問答で烟《けむ》に巻かれた。尾坂部の真意のかけらすら摑めなかった。

5

二渡は、すっかり陽の落ちた県道を車で飛ばしていた。『Wマンション』に行く。同期の前島泰雄をつかまえるつもりだ。

――奴なら尾坂部に詳しい。

何でもいい、尾坂部攻略の手掛かりが欲しかった。気持ちが上滑りしているのはわかっているが、怒りの方が勝っている。

『Wマンション』は四階建ての官舎だ。W署の主だった幹部が入居しているから、そう呼ばれている。以前は平屋の官舎が四軒並んでいたが、土地の有効利用を考え、昨春、十六世帯が入る今の形に変えた。

前島は、おう、と威勢よく出迎えた。まだ七時前だというのに、洗った頭にトニックの匂いをプンプンさせ、もう格子柄のパジャマを着込んでいる。

W署の刑事課長である前島が、この時間、官舎にいるのも奇跡に近いが、たまの非番を急襲できたのは、何も二渡のカンが冴えていたからではない。今日に限って、もう人の帰宅を待つのは真っ平だから、事前に電話を入れた。特に用事はない。そう付け足すことも忘れなかった。

「上がれ。静かでいいぞ」

前島は一人だった。女房子供は実家に用があって出掛けたという。たった五分前に電話にでたのがその女房だったから、二渡は意外な気がしたが、いないのならそれに越したことはない。前島夫妻の仲人親が尾坂部だ。その名が会話に出れば、つい女房の耳も伸びるだろう。

決まりきった官舎の間取りだ。夜は寝室に化ける茶の間に、真新しい学習机が、いま届いたように置いてあった。フックには黒光りしたランドセルが掛かっている。前島が『チビ』と呼んでいたあの子が、もう学校に上がるのかと思う。もっとも、家族が一人増えたと何年か前の年賀状にあったから、『チビ』がいま何と呼ばれているかは知らない。

「どんなだ、そっちは？」

キッチンで声がして、両手にビール瓶をぶら下げた前島が、旅の土産らしい暖簾《のれん》を割ってきた。

「相変わらずだ」

二渡はため息まじりに言って、今日は飲めん、勝手にやってくれ、とグラスを押し返した。

「白黒写真はピンボケだってな」

前島はグラスに泡を立てながら、ニヤリと笑った。

なるほど、刑事部の連中はそう噂しているらしい。大黒と白田をワンセットにして茶化すセンスは、思えば警務部にはない。

「そういや、桔梗のママがお前に会いたがってたぜ。最近、冷てえってよ」

相も変わらず前島はよく喋った。あっちこっちに話題を飛ばし、皮肉り、意見し、だが、捜査中の事件については毛ほども触れないのだから、いまさらながら、刑事畑を耕す硬い鍬《くわ》になったのだと思う。

警察学校の同期と言えば、兄弟も同じだ。全体行動と連帯責任。公も私もない濃密な寮生活を共にし、厳しい訓練に耐え、励まし合い、涙し、国の治安にこの一身を捧げようと誓い合う。二渡と前島とて例外ではない。今は別々の畑を歩き、二渡は警視、前島は警部と、その階級章の星の数にも違いがでたが、こうして会えば、心は立ちどころにあの汗臭い学校の寮に帰る。

ただ、お互い、現在進行形の仕事は語らない。いつしかそうなった。兄弟が、従兄弟になってしまったぐらいの寂しさはある。

「部長がどうしたって？」

前島が赤らんだ顔を向けた。仲人っ子にとっても、やはり尾坂部は『部長』らしい。

「ああ、たまたま会ってな、ちょっと立ち話をした」

二渡が言うと、前島は嬉しそうに身を乗り出した。

「元気そうだったか？」

「ああ、現役のままだ」

「去年、ちょっと肝臓をやったらしいんだ」

「よく行くのか？」

「盆暮にはな。そんでもって必ずどやされる。来んでいい、事件をやってろ、ってな」

前島は愉快そうに笑い、ああそうだ、といったふうに続けた。

「部長、残留が決まったんだと？」

虚を突かれて、二渡は息が詰まった。

「ん――どっから聞いた？」

「いや、女房の従兄弟が協会にいってんだ。先週だったかな、そいつが顔を出して言ってたよ。いや、先々週だったかな」

その件で二渡が来たとは、夢にも思っていまい。尾坂部の後任に工藤防犯部長が座る段取りも、Ｗ署の刑事課にまでは届いていないようだった。

少々後ろ暗い気持ちになって、だが、二渡は尾坂部の話題を引っ張った。

「結婚するみたいだな、一番下の——」

「ああ、メグちゃんな。そう、六月だ」

「六月か……」

尾坂部恵。ファイルからメモっておいた。私大を卒業。都内の旅行代理店に勤務。三十歳。二渡の感覚だと、やや遅い気がするが、いまどき三十路《みそじ》の花嫁など珍しくもないのだろう。

だが、『六月』が少々気になる。末娘の結婚。尾坂部にとっては大事に違いない。

「前島、お前、式に出るのか」

「ああ。部長の涙でも拝んでくるわ」

「泣く？　あの部長がか」

「ああ見えて、結構な子煩悩なんだぜ」

「想像できんな、部長の泣き顔は」

「泣く、泣く、絶対泣く。メグちゃんのことは特に可愛がってたんだ。体が弱かったしな、まあ、あんなこともあったし……」

軽快な話し声がスッと消えた。

「あんなこと？」

二渡が突っ込むと、前島は瞬きを重ねた。

「あ？」

「あんなことって何だ」

「何だだ」

俺、そんなこと言ったか、というふうに前島は惚《とぼ》け顔をつくって見せた。

二渡は、前島を見つめ、だが、すぐに外してピーナッツに手を伸ばした。刑事とやりあって勝てないのはわかっている。

だが、二渡の脳は活発に動いていた。

——案外、そんなところなのかもしれん。

ふと思ったのだ。末娘の結婚式が六月にある。尾坂部は、専務理事の肩書きのまま、式に臨みたいのではないだろうか。

馬鹿らしい理由だとは思う。仮に現役は退いても、尾坂部は、元県警刑事部長であり、元産廃監視協会専務理事である。堂々と胸を張って新婦の父を演じればいい。だが、それは周りが言うことであって、とことん仕事だけに生きてしまった男の内面というのは、理屈で割り切れないものがある。

二渡の父親がそうだった。高度成長時代を突っ走った、当時の言葉で言うなら、典型的な猛烈サラリーマンだった。胃と肝臓を悪くした。長患いだった。職を失い、塞ぎ込み、老け込んだ。それでも、毎朝、新聞の求人欄に目を通すことだけは忘れなかった。

警察学校の卒業式を終えてすぐ、家に飛んで帰った。俺も社会人だ、もう何も心配するな。そう声を掛けるつもりだった。母が代わりに言った。「お父さん、真治の就職が決まりましたよ」。父は、にこりともせず言った。「……俺は？」。二渡に向けた瞳に、ひがみとも妬みともとれぬ濁りがあった。

以来、男はそういう生き物なのだろうと、二渡は思っている。そうなりたくないと思い続けてもきた。

尾坂部は、死んだ父に似ている。だから、二渡は尾坂部に対して嫌悪感を抱き続けてきた。それでいて、どこか気持ちがわかるような気もするのだ。

尾坂部は、実は専務理事の肩書きなどに興味はない。『現職』でなく、『現役』であることにこだわっている。そんな気がしてならない。そして、おそらく、末娘の恵の結婚が尾坂部の内面を複雑にしているのだ。

世相に迎合などすまい、三十歳の結婚は、やはり遅いのだ。遅れた原因に「あんなこと」が絡んでいる。嫁入り前の娘にとって、「あんなこと」の意味はかなり限定されるだろう。いずれにしても、その話には男が登場し、そして、恵は泣いたのだ。

尾坂部は、恵を溺愛している。悲しい思いをした娘が、いまようやく幸せを摑もうとしている。万感胸に、ありったけの祝福を贈ってやりたい。だから、尾坂部にとって生存理由とも言える現役の勲章をつけて、娘の晴れの門出を見送ろうとしている――。

二渡は、喉に渇きを覚えた。

すべては、また二渡の妄想かもしれない。だが、二時間前に、尾坂部はこう言った。

お前らには関係ない――。

組織には関係のないこと。それは、家族であり、とりわけ、心に深い傷を負った恵を指しての言葉ではなかったか。

警察官の妻の人生は幸せか。二渡は考えないことにしている。内と外との視線に常に晒され、時に叫びたくなるほど息苦しさを感じるこのムラの中で、ともに生きている妻に問いかける勇気がない。だからこそ思うのだ、せめて我が子は、と。二渡にも、胸がふくらみはじめた小五の娘がいる。今時分、歯の矯正金具をつけたまま寝息をたてているであろうその娘には、親の抱えるムラの重圧など微塵も感じることなく伸び伸び育って欲しい、何一つ束縛のない世界に飛び出し、思うがままに生きて欲しい。そう願うのだ。

「部長も人の親、ってわけか」

二渡は、ぽつり言った。

初めてだった。尾坂部が、刑事部の妖怪としてではなく、血肉をもった一人の人間として感じられた。

「そりゃあそうさ」

失言のあと押し黙ってしまっていた前島は、解放されたように甲高い声をだした。

「けど、現役の頃は家族でもなかったろう」

二渡が言うと、また、「そりゃあそうさ」が、今度はやや湿っぽく返ってきた。

「なあ、部長の現役の頃ってどんなだったんだ？」

「凄かったよ」

「何が？」

「全部さ」

「スーパーマンか」

「まあ——」

お前ら警務の連中にはわからんだろうが、のところを飛ばして、前島は続けた。

「例えばこうだ——犯人は現場に戻らない」

「なんだそれ、部長の台詞か」

「ああ」

「戻るんだろう、現場に？」

「いや、実際戻らねえんだ。過去十年ぐらいのを調べてみたら、どいつも犯行現場には寄りついてねえ」

「へえ、それで一同、びっくりってわけか」

「そういうことじゃねえんだよ」

前島は少しむきになった。

「普通に刑事ドラマ見て育ってりゃ、お前が言ったみたいに、ホシは現場に戻る習性があるって思い込むわけよ。じゃあ、実際にヤマ踏んだらどうするよ？　現場なんざ戻らねえよ。パクられると思うからな。わかるだろ？」

「ああ」

「部長は暗にそれを言ってるわけよ。デカ部屋で後生大事に引き継がれてきた金言だって時効ってもんがある。きょうび、デカや鑑識のネタなんてな、俺たちの想像以上に娑婆にタレ流しになってんだ。デカよりデカの知恵を持ってるホシもいる。要は、デカが、俺はデカでございって自惚れを捨てる。そこからホンモンのデカが生まれてくる、ってな」

　酔いも手伝って、前島の舌はますます滑らかになった。前島の語る尾坂部の逸話は、いちいち面白かった。どこまでも心酔し、得意になって語れる親分をもつ前島が、どこか羨ましくもあった。

　次はいつになるかわからない「またな」を交わして、二渡は官舎を出た。

　まだまだ冷たい風に逆らって歩きながら、二渡の胸には温かいものがあった。尾坂部宅をあとにした時の、あの怒りと情けなさにギスギスした感情はもうなかった。尾坂部攻略の糸口を摑みたい一心でここへ来たが、本当はただ前島の顔を見たかったのかもしれない。そんなふうにさえ感じる。

　官舎の駐車場を横切ろうとして、二渡はふと足を止めた。見覚えのある、派手なサイドラインの走ったワゴン車の窓に、水銀灯の白い光を映した女の顔が覗いた。その傍らで、小さな頭が二つ、じゃれあうように動いた。

『チビ』だった。車のエンジンは切れている。なのに、降りてくる気配はない。

——あいつ。

二渡は、前島の部屋の灯に振り向いた。

前島は妻子を人払いした。サシで話をしようと二渡を待ち受けていたのだ。

思えば、人事の真っ最中だった。誰だって、一分一秒でも早く、自分の異動情報を知りたい。動くのか。動かないのか。引っ越しの準備は必要か。『チビ』が通う学校はどこになるのか。

——罪な商売だ。

二人の『チビ』は、どこかでチョコパフェでも食べただろうか。

二渡は祈るような気持ちで車を発進させ、バックミラーに映ったワゴン車が見えなくなるまでアクセルを踏み続けた。

6

尾坂部恵にまつわる『あんなこと』は、すぐにわかった。

翌朝、二渡は北庁舎地下の留置管理室に顔を出した。佐々木勝利は、手にしたメモ書きを見つつ、黒板に数字を書き込んでいた。県下各署に電話を入れ、留置人の最新の頭数を把握するのが朝一番の仕事だ。机の上には、どこかの人権擁護団体が送りつけてきた質問状が、ホチキスの針を解かれて散らばっていた。『官弁』、つまりは留置人に出される弁当の栄養価をつかれたらしく、その手の資料本も机にどっさりあるから、目下、佐々木はその対応に掛かりきりとみえる。

二渡は、厚生課の売店に佐々木を連れだした。奥に、丸テーブルの置かれた、ちょっとした談話スペースがある。

二渡が遠回しに水を向けると、佐々木は声を落とすでもなく言った。

「ツッコミだよ」

二渡は絶句した。

ツッコミ。警務の二渡でもその隠語は知っていた。

五年前、尾坂部恵は県北のキャンプ場でレイプされた。薪になりそうな木を拾い歩くうち、林の中で見知らぬ男に襲われた。キャンプに一緒に来ていたのが恵の婚約者だった。二人の間にどんな修羅場があったのか、結局、その結婚は破談になった。『あんなこと』の、それがすべてだった。

――嫌な話を聞いちまったな。

二渡は深いため息をついた。頭に巡らした幾つかの悪い想像の中に、レイプ禍がなかったわけではない。だが、実際にそうだと聞かされると、胸に鉛を抱え込んだ思いだ。

「犯人は捕まったのか」

気を取り直して二渡がきくと、佐々木は首を振った。

「ホシはパンストを被った男。さほど若くない。わかってるのはそれだけだ。ブツはゼロ。射精もしてねえ」

そう聞いて、二渡はさらに気分が悪くなった。

体液を残せば、血液型はおろか、ＤＮＡ鑑定でも引っ掛かる。昨夜、前島から聞かされた尾坂部の言葉通りだった。捜査や鑑識の知識を逆手にとり、手錠を免れるために、男の究極の欲望すら制御して犯罪を行う奴ができている。

「部長はどうした？　その時……」

二渡がきくと、佐々木はそっぽを向き、知るか、といったふうに鼻を鳴らした。

佐々木は、長く『花の強行』にいた。これぞ刑事の神髄と鼻高々だった。階級は警部補で、同期の二渡とは二階級の差がついたが、却ってそれを自慢しているようなところさえあった。が、四年前、突然強行犯係から外された。佐々木は、尾坂部に追いやられたと思い込んでいる。

黙ってコーヒーを啜る佐々木は、もう組織への期待など、どこかに捨ててきてしまった顔だ。どこの部署にも一人か二人はいる、こうした男たちに、人事時期の浮足立ったところはない。

笑い声がして、二渡は窓に目をやった。交通巡視員の一団が、何がそんなに可笑《おか》しいのか、体をよじりながら通り過ぎていく。

二渡は、当時の尾坂部の心中を思わずにはいられなかった。

溺愛する娘がレイプされた。犯人は捕まらない。自分は、その犯人を追う捜査の最高指揮官であるのに――。

　二渡は、ハッとした。

　尾坂部ファイルを思い出したのだ。

　五年前といえば、尾坂部が刑事部長に就任した年だ。ならば同じ年ではないか、尾坂部が未決で残したＯＬ暴行殺害事件と。

　二渡は、もうそろそろ腰を上げようかという佐々木に、待ったの手を向けた。

「五年前にＯＬ殺しがあったろう？」

「ああ。俺は行かなかったけどな。前島の班が担当した」

「同じ年だよな、娘さんの事件も？」

「あの年は似たようなのが七件あったよ」

「似たようなの？」

「射精してねえのが七件だ。その七件目がＯＬ殺しだった」

「じゃあ、同一犯か」

「わからん。パンストを被ってたってところは一致してるが、どれもブツがねえ」

「だが――ＯＬ殺しが最後の七件目なら、やっぱり同一犯ってことじゃないのか。顔を見られたか何かでＯＬを殺してしまい、それで怖くなって連続レイプを中止した。違うか？」

「お前が考えるほど簡単じゃねえんだ、捜査ってのは」

佐々木とは北庁舎の玄関で別れた。

薄暗い地下への階段を、佐々木はだるそうに首を回しながら下りていった。いっとき事件を語り、微かに刑事時代の顔を覗かせはしたが、なぜ警務の人間がそんな話を聞きたがるのか、刑事なら真っ先に疑問に思うであろうそのことすら、佐々木は知ろうとしなかった。

二渡は、階段を上がりながら、思考を巡らせていた。すぐにでも出てしまいそうな結論にブレーキを掛けるように、ゆっくりと足を進める。

未決で残したＯＬ殺害事件。その犯人はまた、愛娘《まなむすめ》を襲ったレイプ犯かもしれない。その犯人を取り逃がし、四十年余の刑事生活を終えた男は何を思うか。

やはり、結論は最初から出ていた。

犯人を探す――。

尾坂部は事件を追っている。まだ、刑事を続けている。犯人を捕まえる気なのだ、恵が結婚する六月までに。

居座りの真意が見えた。尾坂部は、専務理事ポストを利用しているのだ。

ベニカナメは家を一周していた、駐車場はない。自家用車を持っていないのだ。自転車やバイクで聞き込みに走った古い時代の刑事だ、おそらく車の免許もないに違いない。だから、運転手付きの車は手放せない。一日中、県内を自由に走り回ることができる、あの協会の車が必要なのだ、『捜査』に――。

二渡は、事務局の巨大な白地図を思い出していた。毛細血管のごとく張り巡らされた赤鉛筆の線、線、線。仕事量の誇示などではなく、あれこそが、尾坂部の捜査の足跡なのではなかろうか。

――いや、待て。

二渡は、階段の踊り場で足を止めた。

では具体的に、尾坂部は何をしているのだろうか。その辺りが、捜査経験のない二渡には闇だ。視察を装い、暴行現場を調べて回っているのか。確かに『現場百遍《ひゃっぺん》』とは言うが、しかし、五年も前の現場に行ってみたところで、新たに得られるものがあるとも思えない。ならば、視察の行き帰りに、あちこち立ち寄り、聞き込み捜査のようなことでもしているのだろうか。

徒労に思える。事件発生当初は、百人からの捜査員が、連日連夜の捜査を繰り広げたはずだ。そして、その捜査指揮を執ったのが、ほかならぬ尾坂部本人だったのだ。それでも、犯人は挙がらなかった。

――いまさら一人で何ができる?

暗く、山深いけもの道。たった一人そこに佇む尾坂部の姿が目に浮かんだ。

二渡は、今度こそ居座りの真相を確信しながら、だが、ひどくやりきれない思いで残りの階段を上がった。

「何もわからん……?」

大黒部長は、その巨体で椅子を軋《きし》ませながら、直立不動の二渡を睨んだ。

「わからんとはどういうことだ?」

「何も仰いません。ただ、お辞めになる気がないことは確かのようです」

「そんなことはわかっとる!」

大黒は、手で弄《もてあそ》んでいた数枚の名刺を机に叩きつけた。産廃協会の理事や建設会社の名前が目をかすめた。

7

一時間ほど前、彼らをこの部長室に呼びつけた。理事会でも総会でも開いて尾坂部を辞任させろ。そう迫ったのだが、面々はただ頭を下げるばかりだった。

誰もが尾坂部を恐れていた。わずか三年前まで刑事部長を務めていたのだ。当時、捜査二課が収集した業界の裏事情はすべて握っているし、それらの多くはまだ、いつでも刑事事件になる可能性をもって生きている。下手に追い込みをかければ、再び業界が汚職捜査の草刈り場にされかねない。そんな恐怖心が、どの顔にもありありと見えた。

白田課長は、午後から大手食品メーカーに出向いている。万一、尾坂部引き降ろしが不調に終わった場合、行き場のなくなる工藤防犯部長の腰掛けポストを確保するためだ。

『顧問』のような形で一年だけ置いて欲しい。そう頼み込むつもりだが、バブルの頃ならいざ知らず、企業側もおいそれとは首を縦に振るまい。よしんば、ねじ込むことに成功したとしても、地元記者は見逃さない。工藤の天下り先は取材済みだ。なぜ産廃協会専務理事が食品会社顧問に化けたのか、あちこち嗅ぎ回って内紛記事をものにするだろう。

「どうにかせい」

大黒は鉛でも吐き出すように言った。

「あと二日だぞ。脅せ。弱みをつけ。奴が辞めると言うまで、スッポンのように張りついてろ」

「………」

尾坂部に辞職を迫りたい気持ちは、二渡とて同じだ。

今となっては、どんな適性評価が下され、誰の導きでこの道を歩くことになったか知りようもないが、今年四十二歳になった二渡真治という警務課調査官が、警務畑の堅固な鍬であることは、自分でも疑わない。

なにも刑事や公安ばかりが警察ではない。負け惜しみでなく、組織には組織をコントロールし、組織そのものの体力をつけつつ、次代へ引き継いでいく役割の人間が必要だ。その役割を担う警務課が揺らげば、組織も揺らぐ。警務を単なる事務屋と見下したがる他のセクションの人間たちに、しかし、警務はやはり警務なのだと、常に思い知らせておくことが、組織を一枚岩に保つ秘訣であり、絶対条件でもあるのだ。

人事は、その武器だ。だからこそ、尾坂部の反乱を許すわけにはいかない。

だが、二渡は、恵の一件を大黒に報告する気にはなれなかった。

武士の情けといえば、そうだ。二渡にも娘がいる。それも理由の一つだ。醜悪な保身の塊でしかないキャリア部長への反発もある。尾坂部はごたごたを起こしたが、それは、いわば家庭内のことだ。遠い親戚でしかない大黒に、とやかく言われる筋合いなど断じてない。

――ウチの問題だ、これは。

追い立てられるように部長室を出ると、二渡は別室に顔を出した。

上原係長がパソコンを叩いていた。その顔に悲愴感はもうない。幹部の人事パズルは無事、本部長を通過し、作業は、警部補級以下の第二次異動の詰めに入っていた。

「順調だな」

二渡が声を掛けると、上原は嬉しそうに頭を下げ、が、ふと思い出したように眉を寄せた。

「調査官、そちらはどんな按配です？」

あの修羅場の最中にその台詞が吐けたら出世する。そんなことを思いながら、二渡は庁舎を出て、駐車場に急いだ。

尾坂部を落とす――。

それには、尾坂部の鎧《よろい》を剝ぎ取り、裸の心臓を鷲摑《わしづか》みにするしかない。

二渡の胸には、決意と、そして、一つの戦略があった。

8

河川敷近くの空き地に車をとめ、二時間ほど車内で待った。

薄暮の中を、スモールランプをつけた黒塗りセダンが近づいてきた。ウインカーを出し、住宅地への角を折れる。テールランプの赤が目に残像を引いた。

二渡は車を降りた。住宅地の入口まで歩き、セダンの消えた道を見つめた。

――あいつなら知ってる。

またタイヤを履き替えていたのだろう、セダンが戻ってくるのに、ゆうに二十分はかかった。

二渡は、道の半ばまで出てセダンを止めた。

昨日会ったばかりだから、運転手もすぐ気づいたようだった。ウインドーを下ろし、二渡に軽く会釈した。

「どうしました？」

二渡は、いかにも困ったという顔をつくり、背後を指さした。

「車が故障してしまって。すみませんが、県警まで乗せて戴けませんか」

運転手は二渡の車の方に首を伸ばし、みましょうか、と言った。いや、ちょっと急ぐので、と二渡が拝むと、運転手は頷き、後部座席にどうぞの顔を向けた。

——よし。

車に乗り込むと、例の地図帳の山が目に飛び込んできた。二十冊は下らない。種々雑多だ。決まりきった道路地図に混じって、都市部の詳細な住宅地図や、営林署あたりが使いそうな山奥の地図まで揃っている。

二渡は、何気ない素振りで、パラパラッと幾つかの地図を捲《めく》った。

声が出そうになった。

どのページも真っ赤だった。赤鉛筆の線が縦横無尽に走っている。協会の白地図と同じだ。いや、あの巨大地図に記した軌跡を、より詳しく、より細かな道まで、ここに記録してあるのだ、おそらく。

もっとよく地図を見ようとして、だが、二渡はハッと顔を上げた。

ルームミラーに映った運転手と目が合った。咎《とが》めるというほどの強さはないが、困っているのはわかる。気弱そうな顔だ。白髪まじりの印象で、かなりの歳かと思っていたが、まだ五十を少し出たばかりかもしれない。

この男が、尾坂部の行動のすべてを知っている。県警までの十五分ほどが勝負だ。

車が走りだすと、二渡は、すかさず雑談に誘い込んだ。

青木と名乗った運転手は、一年ほど前に雇われたのだと言った。長くタクシーに乗っていたが、歳で深夜乗務がきつくなった。以前、協会の宮城事務局長が腕の骨を骨折した際、しばらく通勤の足を務めた縁で協会運転手にならないかと誘われた。娘の婚約者が焼鳥屋をやっているので、そこに厄介になろうとも思ったが、やはり自分は車の運転しか能がない。そんなことを言って、青木は小さく笑った。

「けど、タクシーよりきついんじゃないですか、専務のお供だと」

二渡が水を向けると、青木は、いやあ、と首を横に振った。

「楽ですよ、やっぱり昼間は」

「山奥とか、雪の中まで行くんでしょう？」

「ええ」

「投棄現場を視察するだけですか」

「いえ、会議や講習会なども結構あります」

「そうじゃなくて――」

派出所時代にいくらか職務質問をやっただけだ。旨くなどできっこない。前島ならどうやるのだろうか。一瞬思いながら、二渡は核心に切り込んだ。

「視察の行き帰りに、どこかへ寄ったりはしないんですか」

「えっ？」

「何か調べたりとか、人に会ったりとか」

「………」

表情は読めない。青木の顔は、ミラーの枠から外れていた。

「専務が、元は警察の人間だってこと、知ってますよね？」

「ええ。しばらくして知りました……」

「この地図の赤い線は何です？」

「……走ったコースだと思いますが……、投げ捨て場所までの……」

「専務が書き込むんですよね？」

「ええ……」

「何のために？」

「……」

「町の住宅地図にまで引かれてますよね。投棄場所と関係ないでしょう？　専務は会議に行くコースまで記録してるんですか」

「……」

青木は黙り込んだ。ミラーを過った顔が蒼白だった。

――口止めされてやがる。

何かを隠している。わかっていながら、二渡には、貝をこじ開ける技がない。前島の笑った顔が浮かんだ。フロントガラスの向こうに、もう県警本部の灯が近かった。

9

「再度、お願いに上がりました」

翌朝、二渡は、出掛けの尾坂部を家の前でつかまえた。ちょうど迎えの車が着いたところだった。昨日の今日だから、二渡を見て、青木は顔を強張らせた。

尾坂部は二渡を無視した。悠然と車に向かい、青木が機敏にドアを開くと、後部座席に腰を滑り込ませた。

二渡は駆け寄り、押し殺した声で言った。

「部長――お気持ちは察しているつもりです」

この台詞に賭けていた。

尾坂部の真意には肉薄したつもりだが、確証を摑んだとまでは言えない。青木からも何一つ聞き出せなかった。だが、もうタイムリミットだ。明日には警部級以上の第一次異動が内示されてしまう。

――頼む。

尾坂部は反応した。二渡の瞳を探るように見つめた。しばらくそうしていた。

「乗れ」

二渡は、深く頭を下げ、素早く助手席に乗り込んだ。

「何が言いたい?」

車がでてまもなく、尾坂部が口を開いた。

二渡は一つ頷き、尾坂部にわかるように青木をチラッと見た。ややあって、構わん、言え、と尾坂部の声がした。

二渡は体を返し、尾坂部に顔を向けた。言葉は選ばねばならない。

「五年前の件で、部長が心を傷めてらっしゃることは存じております。しかし、その件は現職の者に――」

「何の件だ?」

尾坂部が言葉を遮った。

「ですから、五年前の……」

「はっきり言え」

「例の……OL殺しの一件です」

尾坂部は黙った。無表情は崩れない。だが、思案していることはわかる。瀬踏みしているのかもしれない。二渡はどこまで知っているか。いま、恵の一件を匂わせれば決定打となりうる。が、それは躊躇《ためら》われた。ここには青木もいるのだ。

「あのヤマはじきに挙がる」

唐突に、尾坂部が言った。

「えっ?」

「ブツがある」

「……物証、ということですか」

「毛髪が一本ある。それで十分だ。カタがつく」

尾坂部は独り言のように呟いた。

二渡は戸惑った。

佐々木は、犯人が残した遺留品はないと言っていた。いや、事件を担当したのは前島の班だったとも言っていたから、佐々木は毛髪の件を知らなかったのかもしれない。

二渡の戸惑いは、しかし、尾坂部が初めて見せた脇の甘さにあった。なぜ、捜査の秘密を語ったのか。『保秘』は刑事の命のはずだ。それをあっさり暴露した意図は何か。

事件は現職の仕事だ、俺はＯＬ殺しなど追ってはいない。そう言いたかったのだろうか。

「カイシャでいいな？」

尾坂部はそう言うと、二渡の返事を待たずに、県警本部だ、と青木に告げた。

二渡は、慌ててまた体を返した。

「部長――お願い致します。後進のことをお考え下さい」

「………」

「お願い致します！」

「………」

尾坂部は目を閉じた。

怒りがこみ上げた。

「部長、いつまで協会を続けるおつもりですか」

「……」

「お嬢さんの――」

言いかけて、二渡は、ぐぐっと言葉を呑み込んだ。言ってはならない、それだけは。

尾坂部は目を閉じたままだった。張り詰めた空気に気圧《けお》されてか、ハンドルを握る青木の手は震えていた。

ほどなく、車は本庁舎前の車止めに滑り込んだ。二渡は後部座席に身を乗り出した。

「部長――」

「心配するなと言ったはずだ」

「しかし……！」

「降りろ。俺は忙しい」

二渡を置き去りにして、セダンは走り去った。

敗北感が体全体にあった。疲労感も。

――やっぱり岩だ。崩せん。

残されたチャンスは一回きりだ。尾坂部が帰宅する今日の夕方しかない。あの動かざる岩を動かす何かが欲しい。

――やれることは全部やるか。

二渡は、庁舎に背を向け、表通りを歩いて電話ボックスの扉を折った。

署の交換は通さず、刑事課長席の直通電話を鳴らした。

〈おう、何だ？〉

前島の意外そうな声が耳に響いた。

「五年前のＯＬ殺しの件で聞かせろ」

沈黙があった。

〈カイシャからか？〉

「心配するな、外だ」

〈何が知りたい？　言えることと言えんことがある〉

「犯人の髪の毛があるってのは本当か」

息を呑む音が受話器を伝わった。

〈……誰がそんなことを言った？〉

「尾坂部部長だ」

前島は心底驚いたらしかった。本当に部長がそう言ったのかと何度も念押しした。

「あったんだな？」

〈いや……〉

「それじゃ、部長が嘘を言ったのか」

〈いや、あった。だが……、もうねえ〉

「もうない？　どういう意味だ？」

〈砕いちまったんだよ、粉々に〉

部長の印籠は絶大だった。『保秘』を破り、前島はボソボソ話しはじめた。押し殺しても、その声が鮮明なのは刑事の技だ。

髪の毛はＯＬの衣服から採取された。本人や家族の毛髪とは別のものが、一本だけ付着していたという。犯人の目星がつかぬまま一年以上が過ぎ、捜査一課は一つの決断をした。唯一の物証である、その毛髪を血液型鑑定に付したのだ。鑑定に際しては、毛髪を粉々に砕いて化学的処理を施す。前島が言ったのはこのことだ。

鑑定後の毛髪はただのゴミになる。リスクは大きい。だが、捜査が行き詰まり、毛髪を照合すべき容疑者が浮かばない以上、唯一の物証といえども宝の持ち腐れだ。鑑定に付し、犯人の血液型がわかれば、少なくとも捜査対象者の網を絞れる。それを機に、捜査に新たな進展がみられるかもしれない。捜査一課の決断理由は、そうだった。

が、裏がある。鑑定を決断した真の理由は、尾坂部の退官が迫ったためだった。

幹部が退官する時期、捜査陣は、未解決事件の犯人逮捕に血道をあげる。『勇退に花を添える』、刑事部の伝統だ。まして、ＯＬ殺しの犯人は、尾坂部の愛娘をレイプした疑いも濃い。捜査一課が、情に流され、性急に鑑定手続きを進めたのも、また事実だった。

結果は惨敗だった。十人に四人もの確率で存在する『Ａ型血液』を知る代わりに、捜査一課は唯一の物証を永久に失った。採取された毛髪は自然脱落したもので、DNA鑑定に不可欠な毛根部分の組織がついていなかったから、証拠的価値のある捜査資料を手元に残すこともできなかった。

〈Rhマイナスとは言わんが、せめて、AB型ぐらいでてりゃあな〉

前島は、いかにも残念そうな声を二渡の耳に残した。

――なぜだ？

二渡は、本部への道を戻りながら、尾坂部の言葉を思い返していた。

ありもしない物証を、なぜ、あると言ったのか、強がりか。得意の烟に巻く戦術か。それとも、何か別の意図があってのことか。

思えば、尾坂部の言ったことは、すべてがわからないことばかりだった。考えた末に言っているのか、ただ口先をついてでた台詞なのか、それすら判別できなかった。

立番の敬礼に軽く黙礼を返し、二渡は本部の玄関をくぐった。

気も足も重い。

――この分じゃ、夕方も玉砕だぞ。

部長の怒声を覚悟して入った警務課は、しかし、奇妙なほど静かだった。

白田課長が足早に寄ってきて、二渡に耳打ちした。

「工藤部長がポストを辞退したよ」

二渡は白田の顔を見た。笑っている。

「体調が悪いらしいんだ」

「体調が……？」

「そう、だからもう心配ない」

「ご苦労」

背後で低音が響いた。大黒の目も笑っていた。

二渡は、すとん、と深い穴に落ち込んだ気がした。

居座り劇が終わった。呆気なく、そして、円満に。

——違う！

二渡は大声で叫びたかった。

尾坂部がそうさせた。工藤は、尾坂部の意を受けて身を引いたに違いないのだ。

部長室に笑い声が響いている。

二渡は拳を握った。

かつて味わったことのないこの屈辱を、握り潰してしまいたかった。

10

心配するな。過ぎてしまえば、何もなかったことになる——。

尾坂部の言った通りになった。

居座り劇などももともとなかったように、平穏な職場が戻った。大黒部長も白田課長も、二度とその件には触れなかった。

上原係長の労作が発表され、人事の季節は瞬く間に過ぎた。免許課長に軟着陸した例のS署長が、へこへこ頭を下げながら警務課をひと回りしたのが、ニュースといえばニュースだった。その警務課も若干、顔ぶれが変わった。斉藤婦警はW署の刑事課に出た。見かけによらず頑固なところがあるから、前島も少々手こずるかもしれない。

二渡にとっても、居座り劇は遠くなった。本庁舎の建て替え計画が具体化していた。各部との折衝や県議会の根回しに忙殺され、尾坂部の顔も声も霞んでいた。

いや、時に、ふっと思った。尾坂部は、今日もまた走っているだろうか、と。

六月は、やはり気になった。恵の花嫁姿は綺麗だったと誰かが言っていた。前島はしこたま酔って、尾坂部が泣いたかどうか見損なった。ひょっとしての思いがあったが、尾坂部が協会を辞めるという話は、どこからも聞こえてこなかった。

あの騒ぎは夢か。そんなふうに思いはじめて、また三月ほどが過ぎた。

その日、二渡は不機嫌だった。各部がフロアスペースをめぐって対立し、新庁舎の青写真づくりが遅れていた。いや、バブルの後遺症で県の税収が落ち込み、建て替え計画そのものが危うくなっていた。

そこへもってきて、本庁から、『防犯部』を『生活安全部』に、『外勤課』は『地域課』に名称変更するよう高飛車な連絡が入った。おまけに、『待機寮』の呼び名もイメージが悪いから廃止しろという。

——待機寮のどこが悪い？　いざ鎌倉が警察官ってもんだろう。

受話器を首に挟み、苛立ちをメモにぶつけていた時だった。視界の隅に見覚えのある輪郭をとらえた。思わず、あっ、と声が出た。

尾坂部がいた。二渡に一瞥《いちべつ》をくれ、白田課長とともに部長室へ入っていく。

——何だ？　何があった？

心臓が早打ちした。胸騒ぎがする。

入室はわずか五分ほどだった。

部長室を出た尾坂部は、今度は二渡には見向きもせずに、そのまま警務課を後にした。ドアの脇で大黒と白田が見送った。険のある低音が二渡の耳に届いた。

「お騒がせしたのひと言ぐらい、あってもよさそうなもんだ」

——辞める？

二渡は席を立った。そのまま、部屋を突っ切り、廊下を走った。

——なぜだ？

階段を駆け下り、玄関に飛び出す。

尾坂部が、車止めにつけた黒塗りセダンに乗り込んだところだった。

「部長！」

二渡は、車の窓に取りついた。尾坂部がこちらを向いた。

「部長、教えて下さい。なぜお辞めになる決心を――」

「………」

尾坂部の瞳が、どこか沈んだ色を湛《たた》えているように見えた。と、次の瞬間、尾坂部は、出せ、と運転手に命じた。

二渡は、ハッとした。

青木ではない。運転手は銀縁眼鏡の若い男に代わっていた。地図帳もない。後部座席にあったあの地図の山が、すっかり消えていた。

運転手の若さそのままに、勢いよく車が発進した。

二渡は、その場に立ちすくんだ。

内耳の辺りに鼓動がある。

沈んだ瞳。若い運転手。消えた地図――。

閃光が、二度、三度と走った。

脳細胞の中で散り散りとなっていた様々な情報が、まるで磁石に吸い付けられでもするように、ひと所に集まってくる。結合し、塊となり、やがて確かな形となって頭蓋を揺さぶるように騒ぎだした。

――まさか。

二渡は、唖然とする立番を蹴散らすように庁舎に入り、広報室へ走った。

すまん、と婦警に断り、新聞の綴じ込みを机に広げる。『訃報欄』を見る。拡張戦略で、どの新聞も競って市井の人々の訃報にスペースを割いている。

二日前……三日前……四日前。

二渡は目を見開いた。

――あった。

二渡は、また庁舎を飛び出した。表通りの電話ボックスに走り、中に人影を見て、さらに走った。

カードを差す手が震えた。

「俺だ」

〈カイシャか?〉

「外だ」

〈何だ?〉

「例のOL殺しだ。前島、あと一つだけ教えてくれ」

〈お前なあ……〉

「色だ」

〈あ?〉

「髪の毛の色だ――」

11

辺りはすっかり秋の佇まいだった。

よく刈り込まれたベニカナメは、少々痩せ細って見栄えが悪い。やはり、新芽の鮮やかな赤を楽しむものなのだろう。

「部長、満足してらっしゃいますか」

神棚の見下ろす和室に、二渡の抑えた声が流れた。

尾坂部は和服姿だ。いつものように、腕組みをしながら、窪んだ瞳を真っ直ぐ二渡に向けている。

たった一本の髪の毛は、白髪だった。前島は認める代わりに、〈ビゲン早染めだ〉と言って電話を切った。

青木源一郎は、睡眠薬中毒で死んだ。

飲んだ量からして自殺かもしれません――。

二渡と派出所時代にコンビを組んだ検視班の警部は、そう耳打ちした。結婚した娘が、新婚旅行から帰ってまもなくだったという。警部は盛んに首を傾げていた。

「部長が青木を……。いえ、私も共犯かもしれません」

「………」

尾坂部の無表情に揺るぎはなかった。

二渡は重い息を吐いた。

わかったのだ、何もかも。すべてが。

偶然から始まったのだ。元警察官を乗せて走るとは夢にも思わなかったろう。実際、そのことは、しばらく後で知った、と青木は言っていた。

青木はタクシー会社を辞め、条件が良さそうだと協会の運転手に転職した。

尾坂部は、無論、青木に注目した。白髪まじりの頭などごまんといる。だが、目の前に現れたその白髪に気をとめないはずがない。万に一つの可能性でもあれば、それにのめり込むのが刑事の習性だろう。いや、そもそも二人の出会いは全くの偶然だったろうか。青木を協会運転手に誘ったのは事務局長の宮城だった。通勤の足。ならば尾坂部は、協会に宮城を送り届ける青木の姿を目にしていた可能性がある。青木の採用に尾坂部の意思は働いていなかったか。

いずれにせよ、車を運転する青木の後ろ姿を観察するのが尾坂部の日課となった。そして、ある日、気づいたのだ。青木が、ある場所を避けて別の道を走ったことに。或いは、ある場所を通りかかった時、青木が見せた微妙な変化に。

それが、七件の暴行現場の一つだった。

犯人は現場に戻らない。戻りたがらない――。

いや、尾坂部にしても、最初は半信半疑だった。だから、現場百遍を試みた。宮城は、尾坂部が一年前から毎日視察に出るようになったと言った。ちょうど、青木が雇われた頃と重なる。尾坂部は、連日、青木を走らせた。山に、街に、ありとあらゆる方面に。そうしながら、あの狭い車内で、青木を尾行し、監視し、張り込んでいた。頭には七件の現場が刻み込まれている。青木がどの道を選んで走るか、どの道のどこを通る時に変化を見せるか。その仕種、その視線、その息づかいまで、油断なく観察していた。

それは、あの巨大な白地図と、山積みの地図帳に書き込まれた。青木の目の前でそうしていたのだ、尾坂部が、徐々に心理的圧力を加えようとしていたことは疑いがない。唯一の物証だった毛髪は鑑定でゴミになった。青木を揺さぶり、追い詰め、自白に追い込む以外、この事件に解決はありえない。尾坂部はそう考えていたに違いない。

年が明けた。青木は未だ『灰色』のままだ。『クロ』である確証が摑めない。尾坂部は捜査続行を決めた。協会に居座ることにしたのだ。

青木はどうしていたか。

専務付き運転手になってまもなく、尾坂部が元警察官だと知った。震え上がったに違いない。だが、その尾坂部が、ＯＬ事件捜査の元指揮官であり、自分がレイプした娘の父親だとは知る由もない。高をくったのかもしれない。事件から四年が経ち、その間、自分の身辺に捜査の手が及んだこともなかった。捕まらない自信もあった。射精はしていない。被ったパンストは、顔を隠し、髪の毛の落下も防いでいるはずだった。タクシーに比べ、おいしい仕事だ。失いたくない。そんな気持ちもあったろう。

現場に近づくと、別の道で行けるなら、そっちを選んだ。避けられない時は、息を殺して通りすぎた。尾坂部は、走ったルートを地図に書き込んでいた。理由はわからない。だが、次第に自分が監視されているような不気味さを背中に感じるようになった。辞めてしまおうかとも思った。だが、年が明け、娘が九月に結婚すると決まった。金が要る。不安の芽を抱えながら、ズルズル仕事を続けた。そんなことではなかったろうか。

同じ頃だった、尾坂部引き下ろしの命を受けた二渡が現れたのは——。

尾坂部は、捜査の邪魔になると考え、二渡を退けた。だが、二渡は引かない。この居座り劇の背後にOL殺しが絡んでいることまで嗅ぎつけてきた。尾坂部は決断を迫られた。青木に無言の圧力を掛けながら監視を続けるか、それとも、計算外だった二渡の出現を逆に利用して一気に勝負にでるか。

尾坂部は後者を選択した。車に乗り込んだ二渡が青木を気にするのを見て、構わんから言え、と無理にOL事件を語らせた。そして、禁じ手を打ったのだ。ありもしない毛髪を、あると断言した。じきに犯人は挙がるとも言った。聞かせたのだ、青木に。

何も知らずに踊っていた二渡が、結果として、青木を追い詰める作業に加担した。あの車中、青木は震えていた。元警察官と現役警察官が、自分がやったOL殺しの話をしている。動かぬ証拠の毛髪が、警察の手中にあると自信ありげに語られている。生きた心地がしなかったろう。仕事を辞めようと思った。だが、いま辞めれば疑われる。そうも考えたに違いない。逃亡、蒸発も頭に描いた。しかし、それは自分が犯人だと自供するに等しい。指名手配され、一生逃げ回ることになるかもしれない。妻はどうなるか。娘の結婚は。眠れない夜が続く。睡眠薬の量が日に日に増えていく。尾坂部の幻影に怯える。背後からじっと見つめる、あの窪んだ瞳に——。

二渡の眼前に、その尾坂部の瞳がある。

人の心を射るためにあるようなその瞳は、二渡が警務課の生活へ戻った後も、半年もの間、青木の背中を見つめ続けていた。だが、果してそれだけだったであろうか。

二渡は、一つだけ、どうしても尾坂部に聞いておきたいことがあった。

夫人が膝を折り、茶を差し出した。もう二渡が帰るまで顔を見せないだろう。

二渡は、夫人の足音が消えるのを待って、口を割った。

「部長——青木に自白を迫りましたか」

「………」

「青木は……、認めましたか」

尾坂部は目を閉じた。長い時間、そうしていた。

二渡は、また、重い息を吐いた。

柔らかな午後の陽が、灰皿の底の水に反射して、襖の中でゆらゆら揺れていた。

「部長——今後はどうなさるおつもりですか」

二つの意味を込めたつもりだ。協会を辞め、これからどうするのか。そして、今度の出来事を、どう心の中で整理するのか。

「青木は死にました」

「………」

「犯人は死んだんです。もう、誰もどうすることもできません」

「タブーだな」

尾坂部が静かに言った。

「タブー……？」

「ホシはどこかで死んじまってるんじゃないか――そう思った奴は、そこでデカの寿命が終わる」

「………」

「ホシは、どこかでのうのうと生き延びている。だからデカがいる――そういうことだ」

また、尾坂部は目を閉じた。眠っているような、それでいて安らぎのない顔だった。

尾坂部は自供を聞けなかった。二渡はそう思った。ならば、青木は『灰色』のまま、尾坂部の裡で生き続けていく。

二渡は、尾坂部宅を辞した。

見送りに出た夫人は深々と頭を下げ、最後までその頭を上げなかった。

二渡は、河川敷の空き地に足を向けた。

尾坂部も青木の死を悔いていた。

そんな気がする。

青木が犯人だと確信していながら、現役に身辺捜査を命じなかった。恵のこともある。犯人逮捕の知らせは、ようやく幸せを摑んだ新妻を、過去の悪夢に引き戻す。逮捕はいらない、どこまでも追い詰め、青木を死に追いやろう。尾坂部は、そう考えていたのかもしれない。

だが、青木が死んで、尾坂部は悔いた。

手錠を掛ける。それこそが、刑事の仕事なのだ。

見上げた空は高かった。

警務課のデスクには、新型ヘリコプターの見積もりが届いているはずだ。パイロットはもういい歳だ。今度は自前で育ててみるか。いや、やはり、自衛隊から引っ張ってくる方が無難だろうか――。

二渡は、空に向かって大きく伸びをした。

――カイシャがひけたら、前島のツラでも拝みにいくか。

それで、あっ、と思い出した。

二渡は慌てて車に戻り、無様に膨れた書類鞄の中身を掻き回した。確かこの中だ。半年前、女房に持たされた『チビ』の入学祝いがどこかに眠っているはずだった。

地の声

1

この空は長持ちせず、夕方には雨になるのだと、FMラジオの『ヤマモト』は自信たっぷりに言う。そう吹き込まれて目線を上げれば、確かに、遠くの空にはどんよりとした雲が寝釈迦《ねしゃか》像のようにあって、山々の連なりの面白さや、すっかり色づいた山頂から中腹にかけての眺めを台無しにしている。

ハンドルを握る新堂《しんどう》隆義は、しかし、天気や山のことより、時間が気になっていた。三時までには県警本部に戻りたい。胃潰瘍の術後の検診に、思いがけず時間を食った。もう正面に県警の本庁舎が見えているのだが、工事で車線を絞られた前方の車の動きはひどく鈍かった。

それでも、数分進ませてある腕時計が三時を指したころには、職員駐車場に車を滑り込ませた。砂利道の坂を登り、市道を小走りで横切り、交通機動隊の車庫の裏を抜けた辺りで、耳慣れた音楽が聞こえ始めた。音の割れた館内放送がラジオ体操を流している。

この時間、日頃いかめしい本部詰めの職員も素顔に戻る。だらしなく椅子にもたれ、充血した目に目薬を落とす者。ラジオ体操のリズムに合わせて、脂肪のついた腰を回す者。厚生課の売店に甘い物でも仕入れに行くのだろう、真っ赤なガマ口を握りしめた女子職員が、二階の廊下に姿を現した新堂に会釈しながら、開放的な足音を響かせて階段を駆け下りていった。

午後三時——。五十になるこの歳まで、新堂も好きな時間だった。

警視に昇任して六年目のこの春、順当にいけば、小さな所轄の署長を任されるはずだった。その矢先、職場で吐血した。入院、手術、療養……。書き換えられた辞令は、自宅のベッドで受け取った。

警務部監察課監察官を任ずる——。

ひと月遅れで着任した。以来、午後三時は憂鬱な時間となった。郵便配達のバイクが本庁舎の玄関前に滑り込むのが、判を押したように、その三時なのだ。

和んだ空気を人ごとに感じながら、新堂は赤茶けたドアを押して監察課に入った。奥の課長席で白手袋が動いている。今日もいくつか来ているらしい。

「遅くなりました」

課長の竹上は、ああ、と上目遣いで新堂を見たが、すぐにまた、手元の封書に目を落とした。老眼鏡が光って表情は読めない。

新堂は、竹上のデスクを素早い視線でさらった。

五通だ。『D県警本部長殿』と大書された封書がまず目につくが、その癖字から例の精肉店主だと見当がつく。やれ、交通取締りのやり方が悪いだの、商店街のパトロールを強化しろだの、週に一度は苦情を書き連ねてくる。それは、「ご意見拝聴」で済ますとして、残りが四通。竹上の吟味はいましばらくかかりそうだ。

——あっちを片づけておくか。

新堂は、ロッカーの鍵を開け、表彰関係の書類の束を取り出した。

すべての警察職員の賞罰にかかわる情報は、ここ監察課に集まる。『賞』はいい。事件を解決に導いた功労者に本部長賞や警察庁長官賞を取らせる。地味な職務に明け暮れる職人肌の警察官を褒め讃え、雪深い僻地《へきち》の駐在所を守る若夫婦にスポットライトを当ててやる。そうした事務作業には、同じ警察官として心弾むものがある。

気が重いのは、『罰』の方だ。いや、警察職員の誰もが、監察課の主たる職務は、職員の不祥事を嗅ぎつけ、調べ上げ、罰を与えることだと信じて疑わない。新堂にしたってそうだった。「奴らは間諜《スパイ》だ」。かつて、そんなふうに口を滑らせたこともある。

その監察官の席に自分が座った。

「新堂君——」

呼びながら、竹上は老眼鏡を外した。

——来たか。

新堂は、白手袋をはめると、課長席に歩み寄った。郵便物は、いつものように机の上で仕分けされていた。左に三つ。真ん中に一つ。少し距離をおいて右端に一つ。

「こっちの三つは言いがかりだな。で、これは、W署の署員が酔っ払いを小突いたっていうんだけどね。いいよ、これは勝又君に当たってもらうから。それより――」

竹上は、右端の封書を顎でしゃくった。

「ちょっと、これ読んでみて」

新堂は自分のデスクに戻った。

封書の表。宛て名は『D県警鑑察課御中』とある。定規でも使ったか、不自然なほど角張った文字だ。消印はP市の中央郵便局。南部方面にあるQ警察署の管内だ。

裏を見る。差出人の名はない。

――タレコミだな。

新堂は覚悟を決め、中身を抜き出した。A４判の紙が一枚。光沢のあるワープロ用紙だ。内容もワープロ打ち。縦書きで三行。

Q警察署の生活安全課長は
パブ夢夢のママとできている
ホテル69で密会している

――Q署の生活安全課長……?

咄嗟《とっさ》にその名前が出てこなかった。あの入院さわぎで異動期を過ごしたせいもあるが、そもそも新堂は、機動隊や要人警護など警備畑を歩いてきた。生活安全部の人脈には明るくない。

が、それも数秒のことだった。

曾根和男。

名前と顔と、彼のあだ名までもが同時に脳を突き上げた。

――そうね、そうねの曾根警部……。

誰かが陰で口にしていた節回しが、まるで昨日聞いたことのように耳の奥にあった。被疑者を引っ張って来ますかときけば、「そうね」。泳がせますかときいても「そうね」。曖昧に答えてその場を濁し、指示を仰ぎに署長室へ走る。指揮能力ゼロ。部下の誰もがそう吐き捨てた。

新堂は、警部時代、曾根と一年間だけ同じ所轄にいたことがある。新堂が警備課長。曾根は、今年から生活安全課と名称を変えた防犯課の課長だった。新堂より五つ年嵩だから、今年で五十五歳になるはずだ。その曾根は、今では『そうね』のあだ名より、警部在任期間の長さで話題に上ることが多い。D県警最古参の十七年――。

「どう思う？」

竹上が首を伸ばした。

無論、密告内容について意見を求めたわけではない。たった三行で事の真偽など計りようもないし、それをこれから調べるのが監察官の仕事だ。

竹上がきいたのは、出所《でどころ》である。

密告者は、外部か、それとも内部か。

外部だと面倒だ。密告した人間を割り出し、懐柔する必要が生じる。パブのママと親しい男が嫉妬心からワープロを叩いたとする。ならば、その三角関係に立ち入り、もつれた糸を解きほぐす。話が拗《こじ》れて刃傷沙汰《にんじょうざた》にでも発展されてはかなわないし、この手の話が公となれば、ことは曾根個人の問題にとどまらない。組織が傷つく。

しかし、組織防衛ということでいうなら、より深刻なのは、内部であった場合だ。

職務にかかわる義憤ならば、それは聞く用意がある。だが、匿名の闇の中から、同僚や上司を『刺す』。そんな卑劣極まる行為を見過ごすわけにはいかない。それに、こうした輩《やから》は、外部の者より、よくマスコミを使う。息を殺して監察課の動きを窺い、満足する結果が得られないとなると、決まって地元紙あたりにリークする。警察組織にとって最も憎むべきが、この獅子身中の虫なのだ。

新堂は、密告文書を見直した。直感を覆《くつがえ》す何ものもない。内部だ。

たった三行というところが、まずそうだ。外部の人間なら、気の済むまで罵詈雑言《ばりぞうごん》を並べ立てる。脅迫状ではないのだから、定規やワープロを使ってまで筆跡を隠したりもしない。監察課の『監』の字が、『鑑』になってはいる。だが、部外者は、そもそも監察課などというものの存在を知らない。調べて書いたとすれば、今度は、字を間違えたことが不自然となる。

「中《なか》だと思います」

新堂が言うと、竹上は、同感だというように深く頷いた。

「調べてみてくれ」

新堂は席を立った。密告文書のコピーを二通とって引き出しに納め、袋に入れた現物を手に課を出た。入れ代わりに、上席監察官の勝又政則が入ってきた。見事にゴルフ焼けした顔に、ぎょろ目ばかりが際立っている。

「おっ、今日はなんかあった？」

「いや、たいしたものは……」

曖昧に返事をして新堂は階段へ向かった。

勝又に知られるのはまずい。

監察官が姿を現すと、どこの課にもちょっとした緊張が走る。それが愉快なのだろう、勝又という男は、用もないのに庁舎内をふらつく。口は軽く、いつなん時でも自分の存在を誇示していたい質《たち》だから、寄り込んだ課に親しい者でもいれば、調子づいて密告内容を漏らしてしまわないとも限らない。いや、実際、前にも疑わしい出来事があった。もとより、監察官にしてはいけない男だったのだ。

曾根の非行が事実とは限らない。新堂は、噂で曾根を殺してしまうのが恐ろしかった。赤ら顔の、しゃちほこばった制服姿の曾根が、おぼろげに浮かぶ。

——少なくとも、悪い男じゃなかった。

午後三時の和やかさは消え、庁舎の空気は、どこまでも硬かった。

2

新堂は、まず、本庁舎五階にある科学捜査研究所に顔を出した。

次長の水谷に密告文書の指紋採取を依頼し、もう一つ、印字された文字からワープロの機種がわかるか尋ねた。水谷は、まあ、やってみますわ、と技官上がり特有の素っ気ない返事をした。

それでいい。科捜研は、いわば学者研究者の集団だ。持ち込まれた文書の文字を一晩中顕微鏡で見つめることはあっても、その文書の中身に興味を示す者はいない。噂話といった類に最も縁遠い人種なのだ。

新堂は、その足で鑑識課に回った。本来、指紋採取は鑑識に依頼するのが筋だから、課長の森島光男に、ちょっと科捜研に頼み事をしたよ、と断りを入れた。派出所時代、新堂は新任の森島の面倒をみた。その森島は、がさつな男ではあるが、仁義をきる新堂に深く頷き返していたから、まず、余計な詮索をすることはあるまい。

——噂で簡単に殺せる。

階段を下りながら、改めて新堂は思った。

来年は、春先に大きなスポーツ大会が重なり、相次いで皇族が来県する予定だ。警衛の万全を期すため県警の人事異動は大幅に早まる。つまりはこの秋、もう人事作業が始まっているとみていいのだ。ここで女絡みの噂でも流れたら、間違いない、曾根は退官するまで『曾根警部』のままだ。

物語の世界ならば、警部は主役に違いない。知力と体力を兼ね備え、陣頭に立って現場を取り仕切る警察の顔だ。いや、それは実際そうなのだが、しかし、物語と違って、現実を生きる警部は確実に歳を重ねる。若くして警部となったからには、当然、その上の警視を目指す。組織の中枢に食い込み、大勢の部下を使ってダイナミックな舵取りをしたいと考える。警視になって初めて、所轄の署長や本部の課長などといった、所属長ポストに就くことができるのだ。

が、曾根は、十七年たった今も、警部物語に終止符を打てないでいる。

D県警の場合、警視昇任は過去の実績と面接試験によって決められる。年功序列も多分に加味され、原則的には古株の警部から順に昇任していくのだが、それはあくまで原則でしかない。誰を昇任させるかは、詰まるところ上層部の自由裁量だ。しかも、警視の空きポストは、順番待ちの警部の数を常に下回っているから、曾根のように、下の者に次々と追い越され、十年、十五年を過ぎても『天の声』を聞けない警部が、ぽつり、ぽつりとでてくる。

中には過去の不祥事で『留め置き』とされている者もいる。だが、多くの場合、積み残された警部自身には何の問題もない。単に引き上げてくれる上司に恵まれなかったり、能力はあるのに押し出しが弱かったり、たまたま、すぐ下の代に優秀な人材が固まっていたりと、運に左右される要素が強いのだ。曾根にしたって、指揮能力ゼロと酷評されてはいるが、では、組織を見回してみて、曾根レベルの警視がいないかといえば、そうでもない。いや、上司にへつらうことなら曾根など足元にも及ばない、そんな厚顔の警視が本部の中枢でふんぞりかえっていたりする。

いずれにしても、警部は、過去に幾つもの昇任試験を勝ち抜き、組織の上層部を目指すと宣言した者たちの集団だ。警視昇任が遅れたからといって、いまさら、「現場で生きる」と開き直れないところに、古参警部たちの爪先立つような焦りと苦悩がある。

D県警も再来年あたり、警視昇任試験にペーパーテストを導入しようとの動きはある。だが、それだって、今いる古参警部たちを救わない。いや、却って酷な話なのだ。筆記試験などというものから十年以上も離れ、日々の職務にどっぷり漬かってしまっている彼らに、野心満々、組織の階段を駆け上がってくる有能な若手警部たちを返り討ちにできる力など残っていないからだ。

ならば、来春だ。曾根が警視になれるチャンスは、筆記試験に移行する前の、来春の人事異動をおいてない。最後の『天の声』を待つ。いまだに所轄の次長すら経験していない曾根にとって、それは、もはや奇跡を待つのに等しいことかもしれないが、しかし、『温情人事』が死語になってしまったわけではない。可能性はゼロではないのだ。

だが、その可能性をゼロにしようと企てた奴がいる。おそらくは、曾根を疎んじる部下の誰か——。

新堂は、腹に掌を押しつけた。胃を半分切り取って以来、怒りは、その残り半分の胃袋が知らせてくる。

——どうせ刺すなら、もっと強くて悪い奴を刺しやがれ。

曾根に指揮能力がないのは確かだ。管理職の器でもないだろう。だが、新堂の知る曾根は、他人を貶《おとし》めたりはしなかった。誰より早く職場に現れ、誰よりも遅くまでデスクにかじりついていた。警察風を吹かすこともなかった。息子に家出された母親のとりとめもない話を、そうね、そうね、と相槌を打ちながら何時間でも聞いていた。いま思う。あの曾根こそが、善良で、職務熱心な、あるべき警察官の姿ではなかったか。

その曾根を、密告者は笑う。最後の『天の声』を、おそらく祈る気持ちで待ちわびているであろう曾根をあざ笑う。闇の中で、そうね、そうねの曾根警部と口ずさみながら。

だが——。真実、曾根がパブのママを転がしているのだとしたら、新堂の思いは空を突くことになる。

こうだ。曾根はとっくに昇進など捨てている。もはや昔の善良さなど微塵もない。風俗営業の許認可も職務の範疇とする生活安全課だ、夜の街に顔がきく。課長の肩書きをちらつかせ、パブのママを口説いたのだとしたら。

新堂は本庁舎を出た。市道に回り、県警本部の敷地に並ぶようにして建つ、D共済組合の自動ドアを割った。

県警の外郭団体だから、幹部職員の多くはＯＢの天下りだ。知った顔に頭を下げ、内密にと断りを入れて曾根の借り入れ状況を調べさせた。外に女をつくっているとなれば金が要る。

そんな読みは、しかし、外れた。三年前、『車購入』の名目で百万借り入れた記録が残っていたが、それも完済して、曾根のデータはきれいなものだった。もっとも今の時代、金など借りようと思えば、どこからでも借りられる。人に知られたくない金ならなおさらだ。警察に筒抜けの共済組合に借入金がないからといって、曾根の生活に乱れがないとは言えないだろう。

それでも、新堂は内心安堵の息を吐いた。ここで足がつくようなら、それこそ、曾根の行状は『クロ』と決まったも同じだからだ。

監察課に戻ると、デスクに伝言メモがあった。新堂は、勝又が席を外した隙に、科捜研に電話を入れた。

〈指紋はありませんわ〉

素っ気なさは、電話だとより際立つ。

予期した結果だったから、落胆はなかった。礼を言い、引き続きワープロの機種の件を頼む、と付け足して受話器を置いた。

――あとは夜だ。

新堂は表彰関係の書類を開いた。そうしながら、いま現在Q署に在籍する『細胞』の名前を、ひとりひとり思い浮かべていた。

誰を使うか。

思案する新堂の胸に、『間諜』の二文字が、微かな痛みを伴って駆け抜けた。

3

夕飯は、交通機動隊の白バイ乗りが、よく出前をとる本部近くの蕎麦屋で済ませた。たらふく食っても胃にもたれないと評判の店だ。日々、剝き出しのエンジンの振動に内臓を突き上げられている彼らにしてみれば、それは店選びの重要なポイントに違いないし、胃袋の半分をなくした新堂にしても、ただ聞き流してしまうには惜しい噂だった。

店を出ると、もう辺りは暗かった。空はまだもっている。『ヤマモト』は、さぞ焦《じ》れていることだろう。

官舎までは車で五分ほどだ。

三階の8号室に灯はなかった。新堂は鍵でドアを開け、ふと足を止めて中の気配に耳を澄ませた。ファックスの音がする。灯を点けると、見慣れた右上がりの文字が動いていた。

今日も一日、ご苦労さまでした。
検診の結果はいかがでしたか。
明子はすごくがんばっていますよ。
今日、模試の結果が出て、
千人中、五十六番に入りました。
加奈子

加奈子は、一人娘である明子の大学受験に夢中だ。このところ、週の半分は東京のアパートにいて、予備校に通う明子の面倒をつきっきりでみている。

——英文科でなければだめなのか。

いくら考えたところで、新堂にはわからない夢があるのだ、加奈子と明子には。

耳障りな電子音を残してファックスが切れると、新堂はすぐに受話器を取り上げた。

柳一樹。

彼を使うと決めていた。

Q署刑事課の巡査部長。三十二歳。独身。新堂が機動隊の副隊長時代、下で二年間使った。職務は完璧にこなす。打算も感情の振幅もない。なにより、その口の固さは、『深海の貝』を思わす。

電話には、柳の妹が出た。両親が早くに死んだので、短大生の妹は、柳の住むQ署の寮に居候しているという話だ。

まだ七時だから、思った通り、柳は帰宅していなかった。戻ったら何時でもいいから電話をくれるよう伝言を頼み、もう一つ、柳の部屋にファックスの機械があるかどうかきいた。妹は、ありませんけど……、と訝《いぶか》しげな声を新堂の耳に残した。

新堂は受話器を手にしたまま電話を切り、古い知り合いである電気店の番号をプッシュした。明日一番で柳の部屋にファックスを設置するよう頼み、さりげなく届けてくれと念押しした。初めてのことではないから、店主の方も、掃除機の箱にでも入れていくと、秘密めかして言った。

――さてと……。

新堂は、課から持ち帰った住宅地図と電話帳をテーブルの上に開いた。

まずは、『パブ夢夢』だ。電話帳を捲《めく》るとすぐに見つかった。五十音の順からして『ムム』と読ませるらしい。電話帳の住所を頼りに、地図に指を這わせる。ある。P市の歓楽街のちょうど真ん中辺りだ。

『ホテル69』。ある。思った通り『シックスナイン』と読ませる。『夢夢』から五キロほど西の街道沿い。Q署管内からはみ出し、F署の管轄下だ。密告文書では、『69』が寝ころんでいたが、電話帳も地図も普通に表記されているから、こっちが正しいのだろう。

パブとホテルが二つとも実在したことで、新堂は、少々憂鬱な気分になった。密告の内容が信憑性《しんぴょうせい》を増したように思える。ホテルの場所がF署管内だったこともいけない。勤務地の管内を避けて女と密会する。誰でもそうするであろうそのことが、真実の重みに思えてくる。

柳が電話を寄越したのは、午後十時を回っていた。

〈ごぶさたしております〉

言葉こそ丁寧だが、その平板な声質からは、かつての上司を懐かしむ心情も、その上司から突然の電話をもらった戸惑いも窺えない。科捜研の連中の素っ気なさとはまた異質の、他を寄せつけない冷ややかさがある。

新堂は、しかし、そんな柳こそが、内部調査に適任だと考えていた。

他言無用だと前置きし、新堂は、密告の一件をかい摘《つま》んで話した。

「どうだ。曾根さんを刺しそうな人間の見当がつくか？」

〈二人います。一人は——〉

新堂は虚を突かれた。慌てて柳の言葉を遮り、辺りに書く物を探した。

「ん。頼む」

〈一人は、佐賀敏夫という男で——〉

新堂はチラシの裏にペンを走らせた。

佐賀敏夫。四十三歳。Q署生活安全課少年係の巡査部長。母一人子一人の境遇。その母親が病弱で寝たきりに近いため、人事の特例で、二十年間、Q署から動いていない。

署内では各課を渡り歩き、一昨年、生活安全課に回った。昨年赴任した曾根を露骨に嫌い、満足に口もきかない。Q署の『牢名主』ともいえる男だから、意に添わない上司なら刺してでも排除する可能性がある。

〈もう一人は――〉

三井忠。三十四歳。生活安全係の巡査長。アパートの家主らをくどいて『貸家貸室防犯協会』をつくるよう曾根に命じられている。管内の居住者チェックを強化する狙いだが、家主たちは、空き室の借り手がつかなくなることを恐れて警察との連携を渋っている。三井は困り果て、相当神経が参っている。そもそも警察組織に馴染めない『異物』で、五年前には、労働条件が厳しすぎると革新系の弁護士事務所に相談に行き、失笑を買ったことがある――。

遅れがちにメモを取りながら、新堂は背筋に冷たいものが這い上がるのを感じていた。柳は昨春Q署に赴任したばかりだ。しかも、配属は刑事課である。なのにこの詳しさはどうだ。別の課にいる人間の事情はおろか、その正確な歳までも空で言ってのける。

打たれた思いがあった。

刑事などやってはいない。柳の心は、今でも警備部にあるのではなかろうか。

ベルリンの壁が崩壊して以降、県警は微妙な変化を見せた。不可侵とされてきた警備部の陣容が僅かではあるが削られ、凶悪事件の多発に頭を痛める刑事部に流出したのである。互いに「我こそが警察」と譲ることのなかった双方を隔てる高塀に風穴が開いたのだ、組織にとって、まさにそれこそがベルリンの壁崩壊といえた。

柳は、その『ベルリン異動』で警備部を出た一人だ。

新堂の下で機動隊を二年務めた後、柳は警備部の中枢である公安課に吸い上げられた。そこでどんな職務についたか、新堂もよくは知らない。同じ警備部といっても、新堂は警備課在籍が長く、災害対策や要人警護といった、外部から『顔の見える』部署にいた。公安課は違う。『顔が見えない』ことを職務の絶対条件としている。公安課は、新堂の目から見ても常に濃い霧がかかり、時として不気味な存在ですらある。

ただ、こんな話は聞いた。

首都圏で起きた迫撃砲ゲリラ事件の容疑者が、県内に潜伏しているとの情報を柳が摑んだ。単独で半年近く内偵し、その男の潜伏場所を突き止めた。いざ踏み込もうという時、突如、大挙して現れた警視庁公安一課の捜査員に男の身柄をさらわれた――。

柳が、その公安捜査員の一人を殴りつけたという噂も飛んだ。県警と警視庁の間では手打ちがなされたというが、柳が『ベルリン異動』の対象になったのは、そんなところに原因があったのかもしれない。

以来、柳は幾つかの所轄を渡り歩き、いわゆる『泥棒刑事』をやっている。だが、柳が本心、盗犯捜査に関心を示し、泥棒を追い回すことに情熱を傾けていたであろうか。

新堂は、気持ちを整え、受話器に向かった。柳の内面事情はともかく、この男を使えば調査は早く片づく。好都合だ。そう思うことにした。

「佐賀敏夫……。三井忠……。この二人、ワープロは打つか？」

〈二人とも打ちます〉

「機種は？」

〈カイシャのはすべてK社製です〉

「問題は、自宅に個人所有のがあるかどうかだな」

〈調べてみます〉

その声に愉悦の気配があった。能面を連想させる蒼白い顔。薄い唇の端に笑みが浮かんだかもしれない。この調査を喜んでいるのだ、柳は。

新堂は、自然と早口になった。『パブ夢夢』のママの素性調査と顔写真の入手を命じ、さらに幾つかの指示を与え、最後に、Q署の当直予定が今わかるかきいた。

〈曾根課長の泊まりは三十日です〉

新堂は受話器を置いた。恐れを封じ込めるような思いだった。

一度、Q署に出向いて曾根の顔を見ておこう。そんな新堂の思いを柳は即座に見抜いた。しかも、自分の上司でもない男の当直の日まで、その脳に刻んでいたのである。

不安が頭を擡《もた》げた。柳の隠し持つ残忍な牙が、密告者ばかりか、曾根の内臓まで食い破る。そんな凄惨な場面が、予感を超えるものとして浮かび上がった。

柳をコントロールすることは可能か——。

外は雨に変わっていた。

この雨を喜んでいる者が、少なくとも一人はいる。だが、そんな愉快な思いつきも、耳にこびりついた柳の声を遠ざけなかった。

4

雨は、朝まで降り続いた。

新堂は、一度監察課に顔を出し、竹上課長に断って、官舎に舞い戻った。

十時半。約束通り柳から電話が入った。

〈ファックス、設置完了しました〉

「ん。まず俺から送る」

新堂は密告文書をファックスに流した。

三十分ほどして、返送ファックスが届いた。密告文書とまったくの同文だが、文字の大きさが現物より縦横二倍ほどに拡大されている。柳がQ署で使っているK社製のワープロで打ち直し、拡大コピーしたものだ。今の段階では、密告者が署内のワープロを使った可能性も否定できないわけだから、念のため、これを科捜研の照合作業に回す。

新堂は腰を上げ、だが、ハッとしてファックスに目を戻した。まだ動いている。

ズズッ……ズズッ……。吐き出されてきたのは、女の顔だった。

〈写真の現物は速達で送りました〉

電話に出た柳はそう言った。

写真の女――『夢夢』のママは、帰り客を見送ろうとドアから首を伸ばした、そんなふうだ。ファックスを通したから、陰影の際立った毒々しい顔ではあるが、それでも、かなりの美形であることは窺える。

だが、新堂は、ファックスから吐き出される紙を見ながら、その女の顔ではなく、受話器の向こうの男の顔を見ていた。この立ち上がりの速さはどうだ。柳は、ゆうべあの時間から街へ出掛け、赤外線カメラを使ってママの隠し撮りに成功したことになる。

「店に行ってみたのか？」

〈中には入っていません〉

「ママの素性はどうだ？」

〈夕方までには〉

頼む、と言って電話を切り、新堂は官舎を出た。半分は後悔していた。Q署には、柳ほどの調査能力はないにしても、信頼に足る『細胞』が他にも数名いたのだ。いや、最初からQ署の署長か次長に密告情報をぶつける手だってあった。そうして事を事務的に処理している監察官も少なくないはずだ。

――まあいい。今さら……。

新堂は、例の蕎麦屋で昼飯を済まし、監察課には寄らず、五階の科捜研に上がった。

水谷次長は、つまらなそうな顔で弁当をつついていた。二つの文書の照合を依頼すると、それならすぐできますと箸を置き、まだ半分ほど残っていた弁当をほったらかしにして奥の部屋に消えた。ファックスを通した文字では照合が難しいかと思ったが、そういうことでもないらしい。

彼らの言う「すぐ」というのが、どれほどの時間なのか見当もつかないので、新堂は、監察課に戻って結果を待つことにした。

「忙しそうだな」

勝又が、探りを入れるように声を掛けてきた。新堂は適当に受け流し、表彰関係の事務をこなした。勝又が部屋にいるから、竹上課長も新堂に報告を求めてはこない。

水谷の「すぐ」は、二時間ほどだった。

〈まるっきり別の文字ですわ〉

新堂は小さく息を吐いた。だが、少なくとも、密告者が署内でワープロを打ったのではないことが、これではっきりした。

『牢名主』の佐賀敏夫。組織の『異物』である三井忠。どちらかが、自宅に別の機種のワープロを隠し持っていれば――。

バイクの音が新堂の思考を遮った。

竹上はもう老眼鏡を掛け、机の引き出しから白手袋をつまみ出していた。

〈店では、あゆみママと呼ばせていますが、本名は加藤八重子といって――〉

5

夜、新堂は官舎で柳からの報告を受けた。

加藤八重子。三十五歳。離婚歴二回。現在は独身。住まいはP市内の『ブルーハイツ』八階８０６号室。幾つかのスナックを転々とした後、三年前に『夢夢』を開店。パトロンは、市内で闇金融を営む大島某――。

「パトロンがいるってわけか……。曾根さんとの関係は何かでたか？」

〈今のところ何も〉

「わかった。その件はこっちでやる。佐賀と三井の方を引き続き頼む」

新堂は、そう釘を刺して電話を切った。

密告者の割り出しは当面、柳に任せるほかないとして、だが、曾根と加藤八重子の関係について、これ以上、柳に探らせるのには抵抗があった。

柳の調査は非の打ち所がない。それだけに、密告内容は事実だと柳に言われれば、新堂は黙って頷くしかなくなる。それが嫌だった。曾根は崖っぷちに立っている。最古参の警部が、警視昇任の最後の機会を密告によって奪われようとしている。そんな事情をおそらく一顧だにしないであろう柳の事務的な報告によって、曾根の、警察官としての生死が決められてしまうのが、たまらなく嫌だった。

——やるなら、俺がやる。

新堂は、壁のカレンダーに目をやった。

日付を追ううち、それが九月のままだと気づいて腰を上げた。一枚捲ると、鮮やかな紅葉の絵柄が現れた。

十月三十日。柳が伝えた曾根の当直日は三日後だ。やはりこの日に曾根と会おう。そう新堂は決めた。

「顔さえ見りゃあわかる……」

独り言に応えるかのように、ファックスが動きだした。

　薬はちゃんと飲んでいますか。

——そんなことより、ちゃんとカレンダーを捲っておけ。

新堂は苛立ちを吐き出し、爽やかな高原の牧場を描いた『九月』を力任せに丸めた。

6

加藤八重子の美しさは、新堂の想像以上だった。

翌日、柳から写真の数枚入った速達が届いた。赤外線カメラで撮ったにしては、画質も驚くほど鮮明だった。

――これなら使える。

昼過ぎになって、新堂は自分の車を乗り出し、国道を南へ向かった。今日は喉の調子が悪いとかで、『ヤマモト』は耳障りな流行り歌ばかりを押しつけてくる。

道はすいていた。国道から一つ信号を折れた街道沿いだから、探すまでもなく『ホテル69』の建物が見えた。どこか東洋の小国の神殿でも模したような変わった造りだ。

新堂は、ハンドルを切り、色とりどりのビニールテープを目隠しに垂らした『お車入口』を割って入った。こうした場所は慣れている。若い時分、所轄の管内で男女絡みの事件が起こると、ローラー捜査と称して、よくラブホテル回りをやらされたものだ。

玄関を入り、カウンターに向けて声をかけた。ややあって、横長の小窓から、横向きになった五十年輩の髭面がのぞいた。新堂は躊躇なく警察手帳を突き出した。

「あんたには関係ないんだが――」

まずそう言った。

仕事をして金を得る当たり前の生活をしていれば、誰だって過去に一つや二つ、警察に話を聴かれてもおかしくない厄介事に出くわしている。だから、最初に他人事だと知らせ、体の力を抜いてやるのだ。

髭面も例外ではなかった。脇のドアから、無防備な寝惚け顔で現れた。

「なんだい？」

前置きはなしだ。新堂は、加藤八重子の写真を突き出した。

「この女、知らないかい？」

ああ、と髭面は思い当たった顔になった。

「よく、来るのかい？」

「うん。たまにね……」

「こっちのは？」

すかさず、曾根の顔写真を取り出した。監察課に保存してあるものだが、顎の中程から下を、すっぱり切り取ってある。階級章付きの制服を見せるわけにはいかない。

髭面は首を傾げた。

「さあなあ……」

惚《とぼ》けているふうはない。

「じゃあ、女は別の男とかい？」

「そっ、決まった男じゃあないけど」

「何人も？」

「なんせいい女だからな……あ？　何か事件の関係かい？」

男の頭が回り始めた辺りで、新堂は質問を切り上げた。凶悪事件の捜査なら、令状でもとって、ホテルを利用した客の車のナンバーや客室電話の通話記録を提出させるところだ。が、この調査はそうもいかない。

いや、これだけわかれば、まずは上出来だろう。加藤八重子は複数の男とこのホテルに現れ、曾根の赤ら顔は、少なくとも髭面の記憶には残っていない。これでもし、曾根が、『パブ夢夢』に出入りした形跡がないということにでもなれば、『密告は悪質な誹謗《ひぼう》中傷』と報告書に書けそうだ。

帰路は、幾分心が軽かった。

――あとは密告者か。

新堂は官舎に戻った。電話がほしいという加奈子からのファックスに続いて、白紙が一枚出ている。『連絡請う』の合図。

電話に出た柳は淡々と言った。

〈曾根課長は『夢夢』に出入りしています〉

7

十月三十日夜――。

新堂は、係長の運転する車で随時監察に出た。所轄に対する抜き打ち検査といったほどの意味だが、一線の署員は『ズイカン』と呼んで忌み嫌う。

竹上課長には、南部方面の五つの所轄を回ると言って許可を得た。無論、竹上も新堂の目的がQ署にあると得心している。

車に揺られながら、新堂は、胃袋の存在を確かなものに感じていた。釘を刺しておいたにもかかわらず、柳はまだ、曾根と加藤八重子の関係を調べている。だが一方で、柳が調べたのだから、曾根が『パブ夢夢』に出入りしているのは本当だろうとの思いもあって、新堂の心は波立っていた。

——会えばわかる。

署員二百名を擁するQ署は、県下では大規模署の部類に入る。五階建ての庁舎は古く、外壁にひび割れも目立っていたが、昨年、補修も兼ねてクリーム色に塗りなおし、南部方面の中核署としての面目をなんとか保っている。

午後七時半、制服、制帽姿の新堂は、Q署の玄関前に降り立った。ガラス扉を押し開くと、若い署員が二人、すっくと立ち上がって小気味よい敬礼をした。長机の上には地理教示用の地図。暴漢侵入を防ぐ楯も所定の位置にある。まずは合格だ。

一階フロア。交通課、警務課、会計課と見て回る。塵一つない。デスクもきちんと整頓されている。拳銃保管庫に入る。拳銃の数、予備弾の数、ともに書類と合致する。

新堂は階段を上った。二階、三階、四階と、無人の各課を巡回する。電気の消し忘れはない。窓もすべて施錠されている。生活安全課に入る。整然としている。課長席を除き、ほとんどの机にワープロがある。『K社』のロゴが目に残った。

留置場はとくに入念に見て回り、新堂は一階フロアに戻った。無線係を除く当直員全員が、身を硬くして整列していた。

「気をつけッ」

号令は今夜の当直責任者が掛けた。

曾根和男。その赤ら顔が、緊張と興奮に上気して、さらに赤みを増している。

点検が始まった。

「手帳ッ」

十数人の当直員が一斉に警察手帳を取り出す。新堂が点検しながら一巡すると、「納めッ」の号令。次いで「捕縄ッ」「手錠ッ」「警笛ッ」「拳銃ッ」——。

新堂は、甲高い号令を発する曾根の顔を視界から外さずにいた。

曾根の、これが本性なのだろう。実直さというか、融通のきかなさというか、新任巡査を思わす硬さと恭順さは、五十五歳になった今も、悲しいまでに変わっていなかった。

〈曾根課長は『夢夢』に出入りしています——〉

だが、新堂の中では、加藤八重子と曾根が一つのフレームに並び立たない。

極度の緊張から今にも倒れてしまうのではないかと心配にすらなる、この眼前の冴えない中年男が、夜の世界の手練手管を知り尽くした美人ママを落とす。その熟れた肉をホテルで貪《むさぼ》る。その映像がどうしても浮かんでこない。確かに曾根は『夢夢』に行った。八重子に入れ揚げたが、相手にされなかった。そんな程度のことではなかったのか。

点検が終わると、新堂は曾根を見た。

「車両の鍵をお願いします」

手っとり早い密室は、やはり車だ。鍵の束を手にした曾根と二人、庁舎裏手の駐車場へ回った。

『Q1』と呼ばれる所轄のパトカーを選んだ。曾根にエンジンを掛けさせ、新堂も助手席に乗り込んだ。

「ヘッドライトを点けて下さい」

「は、はいッ」

曾根の声は裏返っていた。

「ブレーキを踏んで下さい」

「はいッ」

曾根がぎこちなく足を動かす。新堂は首を回して、背後の壁に浮かび上がる二つの赤い灯を確認した。よし。

新堂は、曾根の脂ぎった横顔を見つめた。

「曾根さん、お元気ですか？」

「はいッ。元気で……やっております」

曾根は新堂を見ようとしない。背筋を伸ばし、真っ直ぐ前方の闇を凝視している。

「堅苦しいのはよしましょう。もうズイカンは終わりました」

「ご、ご苦労さまでした。新堂監察官の……厳正かつ……的確な監察ぶりには感服いたしました」

「曾根さん……」

胸に痛みが走った。

確かに階級は新堂が上だ。だが、任官は曾根の方が早かった。歳だって曾根が上なのだ。しかも、互いに知らない仲ではない。職場ではともかく、こうして二人だけの時なら、年長の者がちょっと偉そうに振る舞い、「そっちはどうだい、○○君」ぐらいのことを言うのは珍しくない。厳格な階級社会だといったって、年嵩の者を立てる日本的な慣習が通用しない世界では決してないのだ。

だが、曾根は違った。どこまでも、新堂を警視として立てた。その表情が緩むことも、言葉がくだけることも、最後までなかった。

だが、そのことが、曾根の潔白を新堂に確信させた。曾根は変わっていない。その善良さも。職務熱心さも。何一つ。

新堂はQ署を出た。

当直員たちの吐き出す長い息が聞こえてきそうだ。いや、彼らは今頃、南部方面の各署に電話を入れている。「いま出たぞ」。次の所轄では署内の大掃除が始まっていることだろう。

本部に戻ると午後十一時近かった。

北庁舎二階の角部屋が、カーテン越しにほんのりと明るい。

──やってるな。

警務課員が、『人事部屋』と呼ばれる小部屋に籠もっている。やはり、来春の人事作業はもう動きだしているのだ。

新堂は監察課に戻り、今夜の報告書を作成しておこうとデスクについた。と、ドアにノックの音がした。

「ちょっとよろしいですか」

顔を出したのは、警務課調査官の二渡《ふたわたり》真治だった。

「今夜のズイカンはいかがでした?」

「まずまずだね。まあ、いつものことだが」

新堂は、油断なく言葉を交わした。

おそらく、二渡は『人事部屋』にいた。監察課の灯がついたのを見て足を向けたのだろうが、十一時を回ってする茶飲み話などない。竹上課長や勝又のいない今を狙って新堂に会いにきた。そう考えた方が自然だ。

二渡は陰で『エース』と呼ばれている。三年前、四十歳の若さで警視となった。いや、それだけのことなら、何代かに一人は、そうした男がいる。二渡を指す『エース』は、トランプの『A《エース》』、つまりは、人事という切り札を握っていることを意味する。

彼の名を知らしめたのは、何といっても一昨年の人事異動だった。当時、交通指導課長だった勝又が、馴染みのパチンコ店主と賭麻雀に興じた。義憤に駆られた部下が訴え、勝又は更迭の運びとなったのだが、その異動先をみて、組織の誰もが肝を潰した。監察されるはずの勝又が監察官を任じられたのである。驚くべきウルトラCと言えた。嗅ぎつけていたマスコミも烟に巻かれた。賭麻雀の噂が事実なら、そんな男を監察官にするはずがない。誰もがそう思う常識の裏を見事にかいてみせたのだ。

あんな芸当は、小心者の白田警務課長には到底できない。二渡の仕業だ。その噂は、驚きから恐れへと姿を変えながら、瞬く間に組織を駆け抜けた——。

二渡の手腕は認める。だが、そうまでして組織を守る必要があったのか。どこの世界にも悪い奴というのはいる。膿《うみ》は自らの手で出す。それこそが真の組織防衛といえはしまいか。新堂には、そんな反発の思いがある。

そうはいっても、こうして二渡と面と向かえば、七つ年嵩の新堂でさえ落ちつかない気分にさせられる。

五十を過ぎれば、誰だって、残りの年数とポストの数合わせをするものだ。二渡ほどではないにせよ、新堂も四十四歳で警視になった出世組だ。この春、署長をのがしたのは痛かったが、しかし、今いる監察官のポストは、病気療養の意味合いを含んだ暫定的なものといえるから、おそらく一年で卒業だ。ならば、まだ間に合う。定年までに部長ポストに手が届く。

だが、もしもこの先、もう一年か二年、どこかで道草的なポストを踏むようなことになれば——。

二渡は、本部長や警務部長の信任も厚いと聞く。一人の幹部の警察人生を、部長として有終の美を飾らせるか、本部の筆頭課長どまりで終わらせるか、『エース』の一言が、決めてしまわないとも限らないのである。

「ところで、監察官――」

二渡は声を落とした。

「Q署の曾根警部、何かありましたか」

新堂は、横面を張られたような気がした。

「いや――」

すぐには声が出なかった。

「……タレコミがあったにはあったが、おそらく誹謗中傷の類だな。今のところ、曾根警部にやましいところはない」

「そうですか」

二渡は潔く腰を上げた。

足音が遠ざかり、課に静寂が戻った。新堂はソファから動けずにいた。

――誰が漏らした？

幾つもの顔が脳裏を過った。竹上。水谷。違う。柳。ありえない。ならば、鑑識の森島か。いや、共済組合にも顔を出したし、勝又が嗅ぎつけた可能性だってある。

それとも、独自ルートか。だが、警務畑の二渡に、それほど多くの『細胞』がいるとも思えない。いや、勝ち馬に乗る奴というのはどこにでもいる。二渡は近い将来、D県警を牛耳る。それを見越して接近している者が幾らでもいるだろう。

二渡の『細胞』はどこまで増殖しているのか――。

いずれにしても、二渡は曾根に目をつけた。それは同時に、この密告の一件を新堂がどう処理するか、監察課以外の目が働き始めたことを意味する。

人事は始まっている。

新堂の胃袋は、怒りとはまた別のものを知らせてきていた。

8

〈佐賀敏夫はワープロを持っていません〉

数日後、柳はそう伝えてきた。

『牢名主』の佐賀が消えた。残るは、『異物』の三井忠――。

引き続き三井を調べるよう命じて電話を切ったが、切ってすぐ、新堂は新たな不安の芽を見つけた。

佐賀の家にワープロがないことを、柳はどうやって突き止めたのか。自宅へ行き、佐賀が席を外した隙に、家の中を調べたのだろうか。だが、そんな程度のことで、「持っていない」と断定はできまい。

嫌な法律用語が浮かんだ。

家宅侵入。

佐賀は実家に住んでいる。彼が出勤してしまえば、家には寝たきりの母親がいるだけだ。できる。いや、やる。柳なら。

――まずいぞ。

柳は、曾根と加藤八重子の調査も捨てていないのだ、さらに調べを深めるとなれば、柳のことだ、八重子のマンションや店に盗聴器を仕掛けるぐらいのことは考えかねない。それは、監察課の仕事を新たに増やす。いや、そんな生温《なまぬる》い話ではない。曾根の一件は、既に二渡の知るところとなっている。柳が暴走すれば、新堂の首だって危うくなる。

新堂は受話器を取り上げた。無茶はするな。はっきりと柳に言っておこうと思った。

電話には妹が出た。柳は行き先を告げず、寮を出たという。

新堂はいよいよ落ちつかなくなった。

――これから行くか。

渦巻く不安が、数日後に予定していた『パブ夢夢』の現地調査を早める決意をさせた。

タクシーを飛ばしてP市に向かった。三十分で歓楽街に着いた。しつこい客引きを二人、三人と振り切って歩くうち、『パブ夢夢』の派手な看板が目に飛び込んできた。

まだ八時前だというのに、思いがけず店は混んでいた。カウンターが六席、ボックス席が大小五つ。水着のような小さな服をつけた東南アジア系の女が三人、脂ぎった男たちにべったりくっついている。酒を飲ませるだけの店ではなさそうだ。

「あら、お初？」

ふっくらとした着物姿の女が迎えに出た。四十半ばといったところか。妙に貫禄がある。加藤八重子の写真を見ていなければ、こっちが店のママだと思ったに違いない。

新堂は、腕を引かれるままカウンター席に座り、しばらく着物の女に付き合った。三日間ほどP市に滞在する、健康器具の飛び込みセールスマンを装った。

加藤八重子は、真っ赤なドレス姿だった。スプレーで固めた前髪を気にしながら、調理場の暖簾を割って現れた。

「いらっしゃいませ」

やはり綺麗な女だ。体を密着させる女の子など置かなくても、この八重子目当てに通いつめる男も多いだろう。

着物の女の目配せで、新堂は褐色の肌に挟まれた。片言の日本語と熱い息が、両側から耳に吹き込まれる。だが、こんな頃合いがいいかもしれない。今なら、目の前で八重子が水割りのグラスを掻き回している。

新堂は、ああ、そうだった、という顔をつくり、携帯電話を取り出した。官舎の番号をプッシュする。

「ああ、もしもし、俺だけど——。曾根さんから電話あったかい？」

虚しく響く呼び出し音を聞きながら、新堂は八重子の顔を凝視していた。

「いや、曾根さんだよ、ソ・ネ・さん」

反応はなかった。微塵も。

――やっぱりガセネタか。

曾根はこの店に出入りしている。だが、八重子は曾根の名を知らない。ならば、結論は一つだ。曾根は偽名を使っている。無論、警察官であることも秘している。課長の肩書きなどちらつかせていなかった。八重子目当てに通っていた、ただの客なのだ。だとすれば、曾根は八重子を落とせない。女の興味を決して引かないであろう曾根の風貌が、こうなってみると、曾根の身を救う。

――入れ揚げはしたんだろうがな。

「はい、お近づきのしるしに」

八重子は、新堂にグラスを差し出し、自分のグラスを軽く合わせた。

「ああ、よろしく」

新堂は水割りに口をつけた。胃袋が敏感に反応したが、できるなら今夜は、曾根のために少しは飲んでやりたい気分だった。

9

曾根は、加藤八重子に惚れても入れ揚げてもいなかった。

十一月も最終週に入った月曜の朝、決定的な情報が監察課にもたらされた。意外にも、それは、広報室が記者用に作成する事件事故の発表資料の中にあった。

「新堂君、これ——」

額に老眼鏡をのせた竹上課長が、立ち上がって発表用紙を突き出した。

「あっ！」

昨夜遅く、Q署の生活安全課が、『パブ夢夢』を摘発した。容疑は管理売春——。その目から鱗の思いだった。曾根の目当ては、加藤八重子の『体』ではなかった。『身柄』だったのだ。身分も名前も隠して店に通い、売春の内偵捜査をしていたのである。

「そんなに珍しい事件かい？」

勝又が横から不思議そうな顔を突っ込む。

新堂はそれを無視して、本部長賞を出しましょう、と竹上に膝を詰めた。おそらく、ゆうべのうちに、署長賞が出ただろう。だが、駄目を押してやりたい。幹部人事の作業は大詰めに入っている。ひょっとして、曾根は『天の声』を聞くことができるかもしれない——。

情報は重なった。午後になって、科捜研の水谷が電話を寄越した。

〈ワープロの機種がわかりました〉

いつもの素っ気なさに、だが、微かな興奮と自負心がのぞいた。

〈Z社製の『タイプ36』というやつで、ふた月ほど前に発売されたばかりです〉

「そうか、よくわかったな」

〈運が良かったんです。Z社の関連会社が、このタイプ36の開発に合わせて特別なフォントをつくったんですわ〉

「フォント？」

〈まあ、文字のデザインといったような意味です。小さく印字しても平仮名の丸っこいところが潰れないように工夫したそうで、それでこっちもわかりました〉

「助かった。ありがとう」

新堂の礼には応えず、水谷は続けた。

〈あと、これは参考ですがね。例の文書の数字、69が横向きになっていたでしょう〉

「ああ」

〈あれ、おそらく、縦書きに印刷する時、小文字の数字を縦にするやり方を知らなかったんですわ。発売間もない機種ですしね。それか、敵さんは、もともとワープロに弱いのかもしれませんな〉

よほど上機嫌だったのだろう、水谷はよく喋った。

新堂は竹上に断り、車で官舎に向かった。

爽快だった。曾根の疑いは晴れた。ワープロの機種も割れた。あとは、『異物』の三井忠が『タイプ36』を隠し持っていれば決着がつく。機種がわかったのだ、今度は販売店の方からだって当たれる。くれぐれも無茶はするな、そう柳に伝えようと思った。

――ここまできて、奴に暴走されたらたまらん。

聞き慣れた声が、『パブ夢夢』の事件を伝え始めた。店の女の子はパスポートを取り上げられ、六畳一間に五人も詰め込まれていたのだと、『ヤマモト』は安っぽく憤っている。加藤八重子の名が出た。いや、主犯格は四十六歳の『ササキ』という女だという。

――やっぱりな。

あの日、店で見たふっくらした着物姿の女が思い出される。そうだろう、誰が見たってそうだ。『ササキ』という女が、八重子を陰で操る真のママだったのだ。

「えっ……」

真のママ――。

その単語が新堂の脳を揺らした。

そう、誰もが初めて見れば、『ササキ』をママだと思う。だが、そうだと思わなかった男が一人いた。

軽い目眩《めまい》のようなものがあって、だが、次の瞬間、一気に視界が開ける感覚があった。

『異物』は消え去り、曾根を陥れた真の密告者が見えた――。

新堂は官舎の駐車場に車を入れ、ゆっくり階段を上がった。胃袋が、ありったけの怒りを伝えている。

新堂は、ファックスに白紙を流した。

10

柳とは、県境のY市にあるレジャーランドで会った。

日曜を選んだ。約束の午後二時、ジャンパー姿の蒼白い顔が、家族連れの人込みの中を漂うようにしながら観覧車の前に現れた。既にベンチにいた新堂も厚手のジャンパーを着込んでいる。どちらも、たまの休日を家族に奪われた、少々疲れ気味の男に映った。

柳は、一人分、間を空けてベンチに腰を下ろした。

「お前だな?」

新堂は、前を見たまま言った。

「……何がです?」

柳も前を見たままだ。

「曾根さんを刺した……。そうだな?」

「……私が?」

「見えたよ。自作自演のシナリオがな……。Q署で何か面倒が起きれば、監察官の俺はお前を使う。その筋書き通りになった」

「……」

「おかしいと思うべきだった。最初から、お前は知りすぎていた。佐賀のこと、三井のこと、曾根さんの泊まりの日まで」

視界の限界の辺りで、能面がふっと笑ったように見えた。

「笑うのか」

「………」

「お前は電話で言った。八重子の写真を隠し撮りした時、店には入らなかったってな」

「ええ」

「だったらなぜ八重子がママだとわかった？　お前が八重子の素性を調べ上げたのは翌日だったはずだ」

「前に行ったことがありました」

新堂は柳を見た。

「初耳だな、それは」

「報告する必要がないと思いました」

新堂は顔を戻した。

「はっきり言おうか――。お前は、三井忠がZ社のタイプ36を買ったことを知った。同じワープロを手に入れ、それを使って曾根さんを密告した。予定通り、俺から調査を命じられたお前は、次々と俺の度肝を抜く情報を送った。そして、ワープロの機種が割れた後、最後にこう言うつもりだった。――三井忠がタイプ36を持っています」

「なぜです？　私は、三井にも曾根課長にも恨みなどありません」

新堂は宙を見つめ、言った。

「お前……公安に戻りたいんじゃないのか」

今度は、はっきりと能面の口元が笑った。

「お前は警備部からはぐれた。上にパイプもない。だから、密告の茶番を仕立てて俺に自分の有能さを見せつけた。いずれ、俺が警備部に戻ると踏んでな」

柳は腰を上げ、新堂を真っ直ぐ見据えた。

「私は——あなたを上司と思ったことはありません」

11

年が押し詰まった。

Q署に新たな『細胞』をつくった。その佐藤武に、柳と三井の身辺を洗わせていた。二人ともZ社製の『タイプ36』を持っているはずだ。じっくりと時間をかけて調べろ。そうは言ったものの、暦の数字が大きくなるにつれて、新堂は焦りを感じ始めた。

柳は危険過ぎる。崖っぷちにいる曾根を利用した手口も許しがたい。確たる証拠を摑み、一刻も早く警察手帳を返上させる。柳こそが組織にとっての『異物』だったのだ。

苛立ちの中で年が明けた。

加奈子は暮れに一度戻ったが、明子の『三が日特訓』があるといい、大晦日にまた東京へ向かった。

夢とは、そうして摑むものなのだろうか。新堂にはどうしてもわからなかった。

年賀状を捲るうち、ファックスが動きだした。てっきり加奈子からの定期便だと思い、放っておいたが、一時間ほどして、吐き出されたのが白紙だと気づいた。

慌てて佐藤の番号を叩いた。今日は一月三日だ。佐藤は年始回りを利用して情報を摑んだ。そうに違いない。

「俺だ。わかったのか」

〈ええ。柳も三井もZ社製のワープロは持っていないようです〉

「……ようです？」

〈少なくとも、見える所にはありません〉

新堂は受話器を置いた。

確かに、その辺りが限界だろう。隠されてしまえば探りようがない。廃棄された可能性だってある。柳のやったように、自作自演のシナリオの中でこそ、「持っている」「持っていない」と断定できることなのだ。

――いや……違うぞ。

三井忠に限って言えば、それは当たらない。彼は自分が密告者に仕立てられたことを知らないのだ。持っているワープロを隠したりはしない。ならば、三井の自宅へ行った佐藤は、ワープロを発見できたはずだ。

――本当に持っていない？

妙なことになる。三井が『タイプ36』を持っていないのだとしたら、柳の企ては土台をなくす。解答が予め用意されていてこそ実行に移せた計画なのだ。

――どういうことだ……？

その夜、新堂は寝つかれなかった。

朝方近かったと思う。

しんと静まり返った心に、小さな疑念のかけらが落ちた。さざ波が立ち、やがて、それは心を覆い尽くす高波となって、新堂をベッドから追い立てた。

圧倒的な光量を伴って、随時監察の一場面が脳裏で弾けた。水谷の声が、繰り返し鼓膜を叩き続けている。

新堂は、絶望的な思いで朝焼けに身を晒した。

見えた。もう一つのシナリオが。

12

松が明け、新堂は動いた。

夜。官舎の一室の呼び鈴を押した。

髪を一つに束ねた化粧っ気のない女房が応対に出た。新堂が名を告げると、少し驚いたように小走りで奥に消えた。その女房が、段ボール箱を抱えて、奥の部屋を横切るのが見えた。中身はウインカーの部品だ。近くにバイクメーカーの下請け工場があって、ここらの官舎では部品組み立ての内職が幅を利かせている。

ほどなく、主人が恐縮しながら現れた。

勧められるまま、新堂は部屋に上がった。懐から一枚の紙を取り出し、畳を滑らせて主人の膝元に置いた。

「お返しします」

Q警察署の生活安全課長は
パブ夢夢のママとできている
ホテル69で密会している

曾根和男の赤ら顔が、みるみる赤みを増した。

新堂は、その顔を正視できなかった。

曾根の一人芝居だった。自らを密告で刺し、監察課の調べを呼び込んだ。汚辱のスポットライトを自分に当てておいて、最後に、売春摘発のどんでん返しを演じて見せた。自らの手で『天の声』を降らせる。魔が差したに違いない。それが、どこかで賭へと変わった。長すぎたのだ、十七年は——。

あの日の随時監察。曾根のデスクにだけワープロがなかった。科捜研の水谷は、ワープロに不慣れな者が密告文書を打ったと推測した。二つの線を結べば、そこに曾根がいた。いや、そうではない。そんなことはいい。

新堂は恥じていた。

柳への疑惑は、まぎれもなく、自作自演のシナリオへの疑惑だった。思考はそこまで到達していた。なのに、なぜ、最古参の警部の心に同じような思惑が存在しうることに思い至らなかったのだろう。

新堂も、曾根を追い越して警視になった一人だった。抜き去った人間を振り返ったことなどなかった。いつだって前を見ていた。前を走る強き集団の背中を。だから気づかなかった。曾根が、その善良さに抗ってまで走った、哀れなまでの稚拙な企みに――。

曾根の体が震えている。うなだれた首が、膝が、指が。悲しいほど正直な体。

鴨居に、糊のきいた制服が掛けられている。警部の階級章が鈍い光を発している。襖に水染みが広がっている。あの襖を開ければ、すべては終わる。Z社製『タイプ36』。

「曾根さん――」

「違う！」

叫んだ曾根の体が前のめりに崩れ、震える両手が密告文書を大切そうに包み込んだ。

曾根は畳に額を擦りつけた。

「違う……違います……違うんです、新堂さん……違うんです……」

地の声だった。

十七年間、天の声に見放され続けた、それは、地の声だった。

13

二週間後、警部級以上の第一次異動が内示された。

新堂は、監察課で異動名簿を手にした。まず最後の頁を開いた。自分以外の名を先に探すなど初めてのことだ。

『警視昇任』……。七名……。曾根和男の名はなかった。

——だめか。

一つ息をつき、新堂は名簿の頁を戻した。

——なに？

頁を捲る。捲る。捲る。その指が震えた。ない。新堂の名も、どこにもなかった。

——残留。

思った刹那、胃袋が唸った。

「また一年、一緒だな」

勝又の顔には笑みすらあった。賭麻雀の罰則はまだ年季が明けない。わかっていたから、この男に落胆はない。

新堂は早退を申し出て、廊下に出た。

胃袋が騒ぐ。怒りがのたうち回っている。

警務課の扉が開いていた。奥の机に二渡がいた。新堂に気づき、小さく頭を下げた。

——二渡……。

瞬時、すべてが読めた。

曾根は、警務課にも密告文書を送りつけていた。いや、そっちが『本命』だった。監察課にだけ密告したのでは、人事を握る警務課に伝わらない恐れがある。そうなれば、売春摘発の逆転劇も大きな効果を望めない。そうだったのだ。監察課への密告は、緊張感を高めるための演出でしかなかった。

二渡は見抜いた。曾根の一人芝居を。そして、新堂がこの一件を不問に付したことも。

部長の椅子は遠のいた。

そんなものを目指して警察官になったのではない。曾根の一件だって自分の信念で目をつぶった。だが。

生涯、恨み続けるだろう。善良で、職務熱心な、あの赤ら顔の警部を——。

怒りは、最後はその自分の心根に向いた。

新堂は車で駐車場を出た。行くあてはなかった。

柳の能面が浮かんだ。加奈子の不安げな顔と、明子の気難しそうな顔が並んで脳裏を過った。みんな遠くに感じる。遥か遠くに。

『ヤマモト』だけが近かった。夕方には雪になるのだと自信たっぷりに言っている。新堂は乱暴な手でラジオを切り、その手で胃袋を鷲掴みにした。

——半分しかないくせに、一人前に痛がるんじゃねえ。

県道で郵便配達のバイクとすれ違った。

時計など見なくても、午後三時だとわかっていた。

黒い線

1

「無届け欠勤……？　平野がですか？」

D県警警務課。婦警担当係長の七尾《なな お》友子は、思わず問い返した。

〈そう、瑞穂《みず ほ》だよ、お手柄の〉

憮然《ぶ ぜん》とした電話の声は、鑑識課長の森島光男である。

機動鑑識班の平野瑞穂巡査がまだ出勤して来ない。朝から何の連絡もないのだという。

友子は壁の時計に目を上げた。

――もう十時半じゃないの。

「急病でしょうか……？　寮の方には？」

〈電話してみたよ。寮母さんは普通に出たと言ってる。七時半には車で出たってな〉

「そうですか……。わかりました。私の方で見てきます」

〈頼むわ、トモ号〉

かれこれ十五年も前になるが、友子も機動鑑識班にいた。匂いに人一倍敏感なことから、警察犬よろしく『トモ号』とあだ名された。その名付け親が、当時、班長だった森島だ。友子が四十二歳になった今も、彼だけはしつこくそう呼ぶ。

受話器を置いた友子は、まだ半信半疑だった。

平野瑞穂。巡査を拝命して五年目の二十二歳。今風の小顔美人だが、色素が薄いとでもいうのだろうか、瞳も髪も茶系色で、総じて淡い印象の娘である。

だが、芯は通っている。婦警に憧れ、一心を貫いてその職に就いた。性格は生真面目で、人のために役立ちたいという思いに嘘も遊びもない。男も女もなく、警察組織にとって、今どき貴重な人材といっていい。

その瑞穂が無断で仕事を休む。にわかに信じがたい。鑑識の仕事にも慣れ、やり甲斐があると張り切っていた。ましてや今日は、彼女にとって特別な日である。森島が口にしたように、すべての新聞がこぞって平野瑞穂巡査の『お手柄』を報じているのだ。

「七尾係長、ちょっと――」

すぐ後ろのデスクで声がした。

二渡《ふたわたり》調査官が、瑞穂の記事に目を落としていた。森島との電話のやりとりが耳に届いていたらしい。いや、友子の方も、控えめな整髪料の香りが背後に戻ったと知ってはいたのだが、朝方、婦警の再配置計画案を二渡に一蹴されたことが心に尾を引き、しばらくは顔を合わせたくない気分だった。

だが、そんなことも言っていられなくなった。

二渡のデスクには地元紙の朝刊が広げられていた。社会面の中央に、陽性の見出しが躍っている。

『お手柄婦警』『似顔絵そっくり』『ひったくり犯人御用』

記事の大筋はこうだ。

昨日の朝、私鉄のM駅近くの路上で、七十歳の老女がバッグをひったくられた。平野瑞穂巡査は現場に赴き、老女から犯人の特徴を聴いて似顔絵を描いた。その似顔絵を手に捜査員が周辺の聞き込みをしたところ、近くの店主が「そっくりな男を知ってる」と証言し、一時間もしないうちに、駅裏に住む二十歳の男が捕まった――。

昨日は大した事件がなかったとみえ、警察のPR色が強い記事の割りには破格の扱いだ。

「こんなに似ている」とばかり、捕まった男の顔写真と似顔絵が並べて掲載され、下段に、瑞穂の顔写真も小さく載っている。昨日の夕方、森島が記者クラブに出向いて『お手柄婦警』の内容を発表した際、似顔絵などの資料とともに報道各社に配ったものだ。

友子は、昨日の昼休みに鑑識課へ駆けつけた。すごい、やったね、と声を掛けると、瑞穂は女子高生のような弾んだ声で礼を言った。週末にあんみつをおごる約束もした。なのに、なぜその翌日に無届け欠勤なのか――。

二渡は、記事から目を上げた。

「これまで欠勤は？」

「一度もありません。無断で休むなど考えられません」

「だとすれば何だ？」

二渡は真っ直ぐ友子を見た。窓を背にした細い輪郭に、鋭い眼光だけが際立つ。

「想像がつきませんが……」

口はそう言いながら、友子の頭の中には、幾つものきな臭い単語が並んでいた。トラブル。事故。事件？

二渡は腕組みをして黙り込んだ。その目は、また最初から記事を追っている。友子と同じことを考えているのかもしれない。朝一番で新聞を読んだ時、ふと、心に引っ掛かるものを感じたのだ。

『捕まったひったくり犯は元暴走族のリーダーで――』

まさかとは思う。警察に面と向かって牙を剝く暴走族など存在しない。だが、婦警を警察官と見なさない輩は確かにいる。瑞穂が描いた似顔絵によって元リーダーが捕まった事実は、何十万という部数の新聞に載り、瑞穂の顔も名も公表されたのだ。

いずれにしても、瑞穂にとって特別な日に、その瑞穂が消えた。やはり、只事ではないとの不安が膨らんでくる。

「寮をのぞいてきます」

「平野の車の車種とナンバーを置いていけ」

二渡に言われて、友子は顔を強張らせた。

各署に車を手配する。いや、そうした手筈も必要かもしれない。念には念を、だ。

メモ書きを渡すと、友子は足早に課を出た。その背中を二渡の声が追いかけた。

「様子がわかったらすぐ連絡をくれ」

二渡の表情は硬かった。やはり、幾つかの悪い想像を頭に描いている顔だ。友子より二つ年上の、皆に『陰の人事権者』と囁《ささや》かれるこのエリート警視は、しかし、表立って強権を揮《ふる》うことはない。ただ、中性的ともいえる外見に似合わず頑固であることは確かだし、組織の危機管理に最も敏感な人間の一人であることもまた疑いがない。

友子は更衣室で私服に着替えた。寮に行った後、方々回ることになるかもしれない。ならば制服では動きづらい。そう考えた。

ロッカー扉の裏に張りつけた小さな鏡が、ふっと中年の女の顔を映した。たじろぎはしない。切れ長の目と形のいい口元には今でも華があると思う。いや、十八歳の時からずっと、泣いた顔も笑った顔も、友子のすべてを映し続けてきたこの鏡だ、衰えた肌の張りや目尻の皺だって、包み隠さず晒して堂々と向き合える。

D県警で唯一の女警部。小さな所轄の人員を上回る、婦警四十八名の姉であり母だ。顔などいじっている暇はない。

友子は、本庁舎を出て駐車場に急いだ。

――大丈夫。事件なんかじゃない。

習慣だ。まず、自分の心に渦巻く不安と恐れを追い出すことから友子は始めた。警察という男の聖域に身を投じて二十五年。婦警の敵は、内なる弱き感情であることを、友子は知り抜いていた。

2

車を飛ばし、十五分後には女子寮の駐車場でサイドブレーキを引いていた。

目立たないことが何より重要視されるから、アパート風のありふれた建物だ。D県警では、警察学校を卒業後五年間、婦警にも寮生活を義務づけている。男子禁制。門限は午後十時。厳格な職員管理は警察のお家芸に違いないが、かつて友子がそうだったように、その五年の間にしかるべき結婚相手が決まれば、厚生課は喜んで夫となる人間に婦警の管理を委譲してくれる。

玄関で声を掛けると、寮母の初田トシ江が飛び出してきた。

「七尾さん、瑞穂ちゃんから連絡は?」

「それが、まだ何もなくて」

「ああ……、もう、どうしよう……」

確か友子よりひと回りほど上だから、トシ江は、五十も半ばだ。子供はいない。機動捜査隊にいた夫が、居直った強盗犯人にナイフで一突きにされ、殉職したのが十二年前の夏だった。以来、トシ江は、警務課で斡旋した寮母の職に献身している。

そのトシ江と面と向かうたび、友子は微かに胸が疼《うず》く。友子の夫も警察官だった。警備畑で将来を嘱望されていたが、三年前に死んだ。殉職ではないが、今でいう過労死に近かったのではないかと時折思う。

通された食堂には、夕食に使う野菜類が、きちんと仕分けされてテーブルの上に並んでいた。

「あの娘《こ》、朝御飯を食べずに出掛けたんです――」

すみません。朝食は結構です。そう言い残して瑞穂は寮を出た。それが七時半。いつも通りの出勤時間だ。服装はクリーム色のワンピース。瑞穂の通勤着の一着だ。化粧は薄く、めかし込んでいた風もない。ただ、どことなく元気がなかったとトシ江は言う。

「昨日はどうでした？」

「少し帰りが遅かったんです。でも、ほら、瑞穂ちゃんは仕事で早朝や深夜の呼び出しも多いから……」

友子は頷いた。県下で大きな事件が起きれば、機動鑑識班に臨場要請がかかる。指紋や足跡、遺留微物の採取が主な仕事だ。瑞穂もワゴン車に同乗して現場へ飛ぶ。『似顔絵描き』は、あくまで二次的職務なのだ。

昨日、瑞穂が帰宅したのは、門限の午後十時を少し過ぎていたという。廊下から、寮母室のドア越しに、遅くなりました、おやすみなさい、と声を掛けてきた。おかえり、と言って廊下に出てみると、もう瑞穂の姿はなく、階段に足音がした。その足音にいつもの快活さが感じられず、ああ、疲れているんだなとトシ江は思った――。

友子は納得がいかなかった。

トシ江の話を聞くかぎり、瑞穂はゆうべから少し元気がなかったようだ。それがおかしい。昼間、瑞穂は大手柄を立て、子供のように喜んでいた。無邪気にはしゃぐ瑞穂の姿を、友子もこの目で見たのだ。

だとすれば、その後だ。瑞穂の喜びを消し去る何らかの出来事があったことになる。彼女が寮に戻った午後十時までの間に。

あれほどの喜びを消し去る出来事……。相殺《そうさい》して余りあるショック……。

男――。まずはそう浮かぶ。

「平野は、お付き合いしてる人とか……？」

「男の人？　いいえ。いません。瑞穂ちゃん、誰よりも真面目だし、そんな素振りもまったくないですから」

トシ江にむきになって否定され、友子は少々辛くなった。

トシ江と瑞穂の近さに妬《や》ける。友子だって、瑞穂の潔癖さを誰より信じているつもりなのに、母性まるだしのトシ江の前では、自分が管理する側の人間として口をきいていることに嫌でも気づかされてしまう。いや、トシ江がそう仕向けるのだ。ともに警察官の夫を亡くした。でも、あなたには息子さんがいるじゃない。寮の娘たちのことは私に任せて。トシ江の目は、いつだってそう訴える。

食堂の柱時計が、一つ打った。

――十一時半……。

瑞穂が寮を出てから四時間になる。この時間まで何の情報もないのだ、交通事故の線は消えたとみていい。事件に巻き込まれた可能性は依然否定できないが、友子が当初抱いた『暴走族』に対する不安は、トシ江の話を聞くうち急速に薄らいでいた。昨夜のうちに、瑞穂には変化があった。瑞穂の喜びを消沈に変えたその出来事こそが、彼女の失踪に関係しているように思えてならない。

――失踪？

友子は、自分で思い浮かべた単語に衝かれた。無届け欠勤でなく、失踪。そうなのかもしれない。今日だけではない。瑞穂は、明日も明後日も出勤しない。そういう可能性だってあるではないか。

婦警失踪――。

友子は立ち上がった。

「平野の部屋を見せて下さい」

トシ江は頷き、寮母室に歩きかけたが、ああ、そうだったというように立ち止まって、エプロンのポケットを探った。取り出した鍵に『6号室』の札がついている。

「トシ江さん、もう入ってみたんですか？」

「ええ。何か書いたものでも残してないかと思って……。でも、何もないんです」

机の上にでも欠勤理由の書き置きがありはしないか。友子もそう考えたわけだから、それがないと聞かされ、内心肩を落とした。だが、他にも手掛かりがあるかもしれない。一応はのぞいてみるべきだろう。そう思い直して階段へ向かった。

勝手は知っている。引っ越しには必ず立ち会うし、定期的に寮の各部屋を訪問して、若い婦警たちの悩みや不満に耳を傾けてもいる。だが、自分はその役割を果たせていただろうか。現に瑞穂は、何事も友子に告げずに消えた。そして、友子は、彼女が消えた理由を何一つ思い描くことができないのだ。

二階。6号室。『平野瑞穂』と『林純子』の名が並ぶ。鍵を開け、部屋に入ると、ふっと空気が動き、鼻孔がくすぐられた。

——香水？

他の人間ならば、気づかなかったかもしれない。微かな、しかし、明らかに香水だと識別できる香り。いや、友子にとっては、嫌悪を伴う『匂い』の一つだ。

思いがけない出迎えに、友子は戸惑った。瑞穂も、同室の林純子も、かつて、香水の匂いを友子に嗅がせたことなどなかった。体からも、この部屋でも。

バスルームやトイレなどのある共有スペースを挟み、右手が瑞穂の個室だ。ドアノブは回った。友子は、胸騒ぎを感じながらドアを押した。

香りが濃度を増した。香水の主は瑞穂——。

ままごとのようなドレッサーの上に、その小瓶はあった。『シャネル19番』自分でつけないのだから、友子は香水に疎い。だが、この有名過ぎる銘柄が、男が好んで女に贈るものだということぐらいは知っている。

――やっぱり、男……。

友子は、深い息を吐くと、気持ちを振り切るように、部屋の中を見回した。

壁一面に『顔』がある。

俳優、女優、タレント、アナウンサー、漫才師に至るまで、テレビ画面でよく見かける人間たちの似顔絵が、ずらりと壁に貼ってある。初めてこの『群衆』を見せられた時は、友子も感嘆の声を上げたものだ。

瑞穂は頑張っていた。本当に。

事件の被害者や目撃者から話を聞き、犯人の似顔絵を描く。一昔前のモンタージュ写真に比べ、より犯人の実像に近いものが得られると評価が固まり、今では、どこの警察でも採用している捜査手法だ。D県警では、瑞穂が三代目の『似顔絵婦警』である。ただ、瑞穂は前の二人より格段に絵が上手く、鑑識課の方でも、本気で育てる気になった。著名な画家に瑞穂を弟子入りさせ、週二回、町の絵画スクールにも通わせていた。

それが、結実した。

元暴走族リーダーの似顔絵は、誰の目にも驚くほどよく似ていた。課の期待に応え、瑞穂自身の評価も高めた。友子だって胸のすく思いがした。婦警の後輩が、努力の末に大きな手柄を立てたのだから。

なのに——。壁一面の『顔』。ドレッサーの上の小瓶。いったいどちらが、今の瑞穂の心を映しているのだろうか。

友子は、帰りがけに、トシ江に尋ねた。

「平野、出勤の時、香水つけてましたか」

「香水？　気がつかなかったけど……、だって、瑞穂ちゃん、香水なんかつけませんよ」

挑戦的に突き出したトシ江の顔から、化粧の匂いが仄《ほの》かに漂った。

友子は県警本部へ向かった。交通企画課の内勤に林純子がいる。瑞穂と同室の純子ならきっと知っている。香水。そして、男。

——でも……。

信号待ちの短い時間が、友子に一つの疑問を抱かせた。瑞穂は通勤着姿だった。化粧も薄く、めかし込んだ様子はなかった。なのに、なぜ香水なのか。

いや、瑞穂のことだ、仮に、男と会うのだとしても、周りの目を引くほど着飾ったりはしないだろう。男との関係が深いとすれば、着飾る必要などないともいえる。

青。友子はアクセルを踏み込んだ。もう十二時を回っている。時計の針が、瑞穂の無届け欠勤を、失踪へと確実に変えつつあった。

3

私服姿の友子を見て、林純子は、少し驚いたようだった。

友子は、交通企画課の部屋から純子を連れだし、中庭のベンチに誘った。並んで座ると、純子を見下ろす感じになる。二人とも婦警の身長規定はパスしているわけだから、純子は恐ろしく足が長い。その膝頭をきちんと揃え、いかにも男が好みそうな二重瞼の可愛らしい目に、突然呼び出された戸惑いを覗かせている。

純子は瑞穂の無届け欠勤を知らなかった。

「そんな——。だって瑞穂、着替えていましたよ、ちゃんと」

「それは知ってる。寮は一緒に出たの？」

「いえ、私の方が少し早かったです」

「何か変わった様子なかった？」

「変わった……？　いえ、別に普通だったと思いますけど」

「ゆうべは？」

「ああ、私、早く寝てしまって。知らなくって、瑞穂が戻ったの。ぐっすり寝てたみたいで、もうぜんぜん、気がつかなくって」

長く喋らせると、どうしても婦警の皮が剝がれてしまうタイプだ。新たな情報が出てこない苛立ちとは別に、友子は、足踏みをしたくなるような歯がゆさを感じていた。

友子が警察学校で助教を務めた時、純子は初任科生だった。「間違っても警察のマスコットになっちゃだめよ」。卒業式の日、彼女に釘を刺したのは、その『素質』があると感じていたからだった。

心配した通り、今や純子は、交通企画課のマスコット的存在だ。上司の評判はすこぶるいい。お茶汲み。お使い。飲み会のホステス役……。彼女は、職務中も自慢の白い歯をよく覗かせ、制服を着用していることすら忘れているかのようだ。

そういう生き方もあるだろう。男が絶対数を占める閉鎖社会だ、そう生きる方が楽かもしれない。だが、仮にも、自分の意思で警察官という仕事を選んだのではないか。男と張り合えとまでは言わないが、ささやかでいい、誇りを持てる自分の居場所をこの組織の中に築いて欲しいと思う。それこそが、後に続く婦警たちの道となるし、そして、組織に内在する『婦警不用論者』たちの口を封じることにも繋がるのだ。

少年課の婦人補導員の姿を遠くに見つけ、純子は、腹の辺りで小さく手を振った。

「怖いおばさんにつかまっちゃってるの」。顔は、そんなサインを送ったかもしれない。

友子は、削がれた気持ちを立て直し、話の核心に切り込んだ。

「彼女、シャネルの香水持ってるよね？」

「えっ……、さあ……」

純子は、いかにも困ったという顔になった。困るからには、それ相応の情報を持っている。ここで、少女的な庇《かば》い合いの世界に入られては引き戻すのが大変だ。友子は腰を浮かせて、シャンプーの匂いに息苦しくなるほど純子との距離を詰めた。

「平野さんを探したいの。手掛かりが必要なの。わかるでしょ？」

「ええ……」

「だったら教えて。平野さん、自分で香水を買ったの？――貰ったの？」

「貰ったって……」

「誰に？　秘密は守る。話して」

純子は、まいったな、というように一つ息を吐いて観念した。

「新聞記者の人だって言ってました」

「えっ？」

友子は軽い目眩《めまい》を覚えた。

記者と婦警。その男女の取り合わせを、組織は最も嫌い、恐れる。

友子は声を落とした。

「お付き合いしてるの？」

「いえ、そうじゃなくって、なんか、待ち伏せとかして……」

またしても長く喋らせることになり、純子の話は迷走したが、友子の頭は、重要なポイントを最短距離で結んでいった。

その記者は瑞穂に片思いをしているらしい。一カ月ほど前の夜、寮の駐車場で瑞穂の帰宅を待ち伏せし、海外出張の土産だと言って香水を寄越した。無論、瑞穂は断ったのだが、記者は押しつけるようにして立ち去った。瑞穂は、しばらく気にしていた。どうしよう? 返した方がいいよね? そんな相談を純子は何度も受けたという。

友子は吐き出す息とともに言った。

「その記者、名前は?」

「それが……、瑞穂、知らないって」

記者の名も所属する新聞社も知らない。事件の現場では嫌でも鉢合わせになるから、顔だけは知っていた。瑞穂はそう純子に話したという。

「でも……、私も嘘つかれちゃってるかもしれません。瑞穂、困ったとか言いながら、やっぱり、どこか嬉しそうだったから」

そう言った純子の瞳に、悪戯《いたずら》っぽさとも意地の悪さともとれる色があった。

トイレも化粧直しもある。昼休みが終わる十分ほど前に純子を解放してやり、友子は本庁舎に足を向けた。

香水。記者。無届け欠勤。

繋がりそうで繋がらない線に思える。

唐突過ぎるのだ。香水のやりとりは、わずか一月前の出来事だ。いや、仮にそれがきっかけで二人が急接近したのだとしても、瑞穂が姿を消す理由がない。警察がいかにその関係を嫌おうと、記者と婦警の取り合わせは世間のタブーではないし、瑞穂が婦警を辞めてしまえばすべてが丸く納まることなのだ。

だが、恋愛はやはり怖い。男と女の関係は、時として、周囲の想像を遥かに超えるトラブルを生む。

友子はもう、ほとんど『事件』を考えていなかった。婦警失踪。大変なことが起きているのだとわかってはいる。だが、一方で、瑞穂に裏切られたという思いを徐々に膨らませている自分を誤魔化せなくなっていた。

理由が何であったにせよ、瑞穂は、自分の頭で考え、自分の意思で姿を消したのだ。ならば、彼女を探し出し、引きずり戻すことに、いったい何の意味があるだろう。

友子は、更衣室で制服に着替えた。

この制服に初めて袖を通した時の喜びをまだ覚えている。身につけるたび、胸に宿る自負心も色褪《あ》せはしない。だが、かつて迷いを感じたことはあった。いや、今だって迷いは心に潜んでいる。この制服は、実は野暮ったいのではないかという微かな恐れ。婦警の制服など大したものではないのだという、どこか醒めた思い。自分にはもっと別の生き方があったのではないかという、収拾のつかない自問――。

瑞穂は、逃げ出してしまったのだろうか、婦警という生き方から。

友子は更衣室を出た。

左手の薬指に夫を感じていた。もう頼ってはいけないのだと自分を戒めながら、しかし、その銀のリングに、やるせない気持ちをくどくど伝えたがる友子がいた。

警務課に、二渡の姿はなかった。

友子は、香水や記者の件を報告するかどうかまだ迷っていたから、好都合だと思う半面、調査の進め方について相談をしておきたい気持ちもあった。二渡をどこまで信用するかは別として、彼の他、相談できる幹部がこの部屋にいないことだけは確かだった。

4

課長席の前のソファは、書類の束を抱えた警務部各課の課長で満席だ。午後の『赤間《あかま》詣で』が始まっている。

この春、強権部長と恐れられた大黒部長が管区警察局に転出し、その後任に座ったのが赤間肇だ。大黒には誰もが泣かされたから、紳士然としたその新部長が着任した時は、皆、ホッと胸を撫で下ろしたものだった。

しかし、それは長続きしなかった。赤間は、いわゆる『データ魔』だ。警務部のありとあらゆる職務の細部をつつき、報告書を上げさせる。それは、病的ともいえるもので、派出所員が携帯する警棒の消耗度や官舎の庭木の本数にまで及ぶから、警務部職員の仕事はざっと三倍に増えた。本庁や本部長からいかなる質問をされても、即座にデータに裏打ちされた返答のできる男。赤間が目指しているのはそんな小役人に違いない。

いそいそと部長室に出入りする課長連中を横目で見ながら、友子は受話器を取り上げた。午後一時半。瑞穂が出勤していないことを両親に黙っていられる時間は、とっくに過ぎていた。

友子は、なんと切り出すか迷ったが、応対した瑞穂の母親は、もう鑑識の森島課長から電話を受けて事態を知っていた。

〈どうも大変ご迷惑をおかけしまして……〉

さぞ心配だろうに、母親の声は恐縮が先に立っていた。瑞穂は警察に嫁にやった。酪農を営む両親は、そんな思いで一人娘を家から送りだしたのかもしれなかった。

友子には、ひょっとしての思いもあった。実家に瑞穂が帰っていれば、まだぎりぎり空騒ぎの範疇《はんちゅう》だと考えていた。だが、瑞穂は実家に立ち寄るどころか、電話一本入れていなかった。失踪の理由についても、まったく見当がつかないと、母親は声をすぼめた。

受話器を置くと、それを待っていたように白田警務課長が寄ってきた。

「何かわかったかい？」

「いえ。まだ何も……」

友子は口を濁した。白田に何か話せば、赤間部長にご注進するに決まっている。その赤間はデータ魔であるとともに、『婦警不用論者』の急先鋒でもあるのだ。

それに、この落ちつき払った白田の態度はどうだ。婦警一人の失踪とは、それほど軽いことなのか。それとも、午後一時半を回ってなお、単なる無届け欠勤だぐらいに考えているのだろうか。いや、瑞穂は鑑識課の婦警だ。刑事部のことは刑事部で善処すればいい。半分は、そう思っているに違いない。

「課長——調査官はどちらへ?」

「銀行に行くとか言って出たよ」

——銀行……。

二渡は、瑞穂の預金を調べに行ったのだ。万一、大金をおろしていれば、失踪の意思は確定的となる。

友子は、白田を振り切り、課を出た。

二渡が戻る前に、森島課長と情報のすり合わせをしておこうと思った。五階は刑事部の各課が居並び、警務部の人間は、敷居が高いと敬遠するが、友子にとって鑑識課は古巣だ。この五階フロアにアレルギーはない。

森島のブルドッグ顔は課長席にあった。機動鑑識の湯浅班長と話し込んでいたが、友子に気づき、おっ、と手を上げた。

「どうだった、寮の方は?」

三人で、衝立の裏のソファに移った。森島のポマードと湯浅の育毛剤の匂いがごちゃまぜになって鼻孔をいたぶる。しかも、この二人は、煙草で死ぬことをこれっぽっちも恐れていない。

友子は、トシ江から聞いた話をかい摘《つま》んで話した。香水と新聞記者のことは秘した。

押しつけられたとはいえ、記者に香水を貰ったなどと知れれば、瑞穂の傷になる。

友子は質問に転じた。

「平野は昨日、どんな様子でした？」

「喜んでたさ。トモ号も見たろ？」

「ええ。ですからその後です。仕事の方で何かありました？」

「いや、平野のやつ、帰るまでずっとはしゃいでたよ。なあ、班長？」

「ええ」

がさつな森島に比べ、湯浅は神経が細い。突然部下に失踪され、すっかり参っている様子だ。

その湯浅によれば、昨日は大した事件はなく、瑞穂は六時ごろには課を出たという。

「帰りにどこか寄るとか？」

「いや、何も言ってなかったよ」

課を出たのが午後六時。その時まで瑞穂に変化はなかった。だとすれば、午後十時に帰宅するまでの四時間だ。その間に瑞穂の笑顔をかき消す何かが起こったことになる。男と会ったのだろうか。例の新聞記者と。

だが、その四時間の空白を埋めるのは難しい。班に同僚の婦警でもいれば何か聞き出せるだろうが、鑑識課の婦警は瑞穂しかいない。以前は二人いたこともあるし、三人だったこともある。だが、二渡が推し進めた『婦警の分散配置』によって、今は一人きりだ。今朝、友子が二渡に提出した婦警の配置計画案は、その部分の再考を求めたものだった。

――一時休戦。そう決めたでしょ？

友子は頭から二渡を追い出した。

瑞穂の一件は折衝の道具になりえる。一瞬そう考えた自分を叱咤した。友子が複数配置を求めた理由は別にある。婦警一人は孤独と孤立を生む。勢い、林純子のようなマスコット婦警を増やしかねない。そう訴えたかったのだ。

友子は、湯浅に顔も気持ちも戻した。

「班長、平野は最近はどうでした？」

「どうって……？　真面目にやってたよ。班の連中ともうまくやってた。おかしなところはないさ。ただ、まあ……」

言いかけて湯浅は口を噤《つぐ》んだ。いま初めて、友子が女だと気づいたような顔だ。

「ただ、まあ……」に続く言葉は決まっている。若い女の子のことだから何を考えているのかわからんけどな――。

半分は湯浅と同じ考えの自分がいる。階段を下りながら、友子は思った。

確かに、最近の婦警の気持ちは見えにくい。警察に飛び込んでこようという娘たちだ、基本的に考え方はしっかりしているし、奉仕精神だって人一倍旺盛だ。しかし、年を追うごとに彼女たちの見えない部分が増えてきた。実感だから、打ち消しようがない。

友子も変わったのだ、きっと。

自分では一婦警のつもりでいても、今や四十八人の婦警を束ねる管理側の人間だ。婦警の視線で物事を見つめることもあれば、組織の論理で物事を計ろうとする時もある。今回の瑞穂の失踪にしたって、同じ婦警として彼女の心情を知りたいと思う友子の傍らに、この一件で組織を傷つけるようなことがあってはならないと考える友子が、確かにいる。

課に戻ると、白田が伸び上がるようにして手を上げ、その手で部長室を指した。

友子は、歩きながら、もう気障《きざ》なオーデコロンの匂いを嗅いだ気がした。

5

「七尾さん、事件性はないんでしょう？」

赤間警務部長は、いつもの穏やかな口ぶりで友子に尋ねた。

「ええ。今のところは……」

「こっちの方はどうなんです？」

言いながら、赤間は親指を立てた。

「いいえ、特定の人はいないようです」

答えて、友子は視線を外した。

虫酸が走る。金縁眼鏡に仕立てのいいスーツ。オーデコロンまで漂わせて本庁エリートを演出してはいるが、一皮剝けば嫌になるほどの俗物だ。

部屋には、友子の他に、白田警務課長、荻野厚生課長、竹上監察課長の三人が呼ばれていた。婦警と一対一で話をするなど、赤間のプライドが許さないのだ。

「実際のところ、どんな婦警なんです？」

「非常に真面目です。過去に欠勤もありません。職務に対して誇りを持っていますし、それを投げ出すような不誠実な人間では決してありません」

素直に言えた。今回のことを別にすれば、友子の知っている瑞穂はそうだった。

「そういう娘が一番危ないんですよ。免疫がなくて」

赤間はしたり顔で言った。

女は男でどうにでも変わる。惚れれば狂う。人生だって投げ出してしまう。そんな場末のよた話を疑うことなく信仰している男だ。確かに、友子だって瑞穂の失踪の陰に男がいると思った。記者かどうかは別として、男が絡んでいるかもしれないとまだ疑っている。しかし、それは、男と女の関係というものが、時として、常識や理性を打ち破ってしまうことがあると言っているまでだ。女ばかりが男に狂うわけではない。その逆だって、幾らでもあるではないか。

だが、この男に何を言っても無駄だ。着任早々、赤間は、婦警の資料を見るなり友子にこう言った。

四十八人！　こんなにたくさんいるんですか。前にいた県警では一ケタでしたよ。少し嫁に行ってもらったらどうです――。

定員枠というものがある。

各県の警察官の数というのは、人口比などに照らして条例で決められている。犯罪や困り事相談は年々増加する一方なのに、定員枠は一向に拡大しないから、どこの県警もぎりぎりの頭数でやり繰りしているのが実情だ。その定員枠は、婦警のために別枠が設けられているわけではない。つまりは、婦警が一人採用されれば男の警察官採用が一人減る。

『女性ならではのキメ細やかな職務対応』

表向き、そんな決まりきったきれいごとを口にしながら、陰に回れば、舌打ちをしている幹部がいる。女は扱いづらい。治安を守るのは男の仕事だ。そうした凝り固まった考えの男たちが、組織のあらゆる部署に存在することを、同じ組織の空気を吸っている友子は熟知している。

だが、赤間ほど露骨に婦警嫌いを表に出す男を、友子は他に知らない。

今回の瑞穂の一件にしても、大きな騒ぎにならなければかなわないが、そうでなければ都合よく一人クビを切れる。そんなふうに考えているのではないかと、つい勘繰りたくなるほどの落ちつきようだ。

「まあ、もう少し様子をみましょうか」

赤間がソファから腰を上げた時だった。ノックとともに二渡が部屋に入ってきた。

「平野瑞穂の車が見つかりました」

一同、息を呑んだ。

「どこです？」

友子の声が上擦《うわず》った。

「M駅前の駐車場だ」

友子は絶句した。

M駅！　元暴走族リーダーがひったくり事件を起こした場所ではないか。消し去っていた『事件』が、矢のように頭を過《よぎ》った。

友子は、二渡に続いて部長室を飛び出した。頭が混乱している。瑞穂は、いったい何を考え、何をしているのか。いや、ひょっとして、本当に事件に巻き込まれたのか。

――お願い。無事でいて。

それは、一婦警でも管理職でもない、生身の友子の母性が発した声だった。

6

「調査官、代わります」

「いや、もう着く」

二渡がハンドルを握ったのは、彼一流の危機回避術だったかもしれない。本部を飛び出した時、友子は明らかに運転の適性を欠いていた。

「調査官――」

「ん？」

「やはり、暴走族の件が関係あるんでしょうか」

「そいつはわからんな」

「ちょっと嫌な気がしたんです、今朝の記事を読んだ時……」

「そうか……」

てっきり友子と同じ考えなのだと思っていたが、二渡の反応は意外なほど鈍かった。何か別の推理の線でも引いているのだろうか。

二渡がハンドルを切り、車はM駅のロータリーに進入した。途端、赤い軽自動車と、その脇に横付けされた機動鑑識班のワゴン車が目に飛び込んだ。森島課長の顔もある。

「調査官、先に行ってます」

友子は、止まりきっていない車から飛び出し、駐車場へ走った。

「課長――」

「おっ、早いなトモ号」

瑞穂の軽乗用車は、駅のマイカー送迎のために無料開放されている駐車場の隅にあった。

「いつから置いてあったんです？」

「二時間前にはなかった。そう言ってる」

森島は、三十メートルほど先の派出所を顎でしゃくりながら言った。

機動鑑識班も着いたばかりのようだった。湯浅班長以下、数人の班員が鑑識資材をワゴン車から引き降ろしていた。本来なら、本部の鑑識が出張るような事案ではないが、ことは直属の部下が引き起こした失踪騒ぎだ、まさか所轄任せというわけにもいかなかった。

友子は、注意深く瑞穂の車を観察した。鑑識の目はまだ曇っていないつもりだ。

まずは、少し離れて眺める。急いで止めた様子ではない。車は駐車ラインに真っ直ぐ沿っているし、前輪も曲がっていない。

外観に目立った傷はない。ドアミラーも正規の角度だ。窓ガラスを見て回る。ひび割れや視認できる血痕の付着はない。

「おい、触るなよ」

森島に言われ、友子は窓ガラスから顔を離した。周囲を見回す。人通りは多い。この駐車場に死角はない。ここから大人の女を拉致《らち》することは不可能——。

「始めるぞ」

鑑識班の面々が車を取り囲んだ。まずは湯浅が、定規型の薄い鉄板を使って、器用に車のドアロックを解除する。

「ちょっと、先にいいですか?」

友子は、鑑識の輪に首を突っ込んだ。ポマードや育毛剤の頭が車に入ってしまった後では、匂いを捕まえられなくなる。

森島は、白手袋の手でドアを開き、嗅ぐだけだぞ、と釘を刺した。

友子は中腰になり、車内に顔を入れた。予想していたのはシャネルの香りだったが、鼻孔は、別の、意外な匂いを感知した。

――煙草。

微かだが、間違えようがない。友子が最も嫌いな匂いだ。さらに嗅ぐ。運転席のシートに触れるほど鼻を近づけた。だが、香水の匂いはしない。時間が経って消えてしまったのか。或いは、煙草の匂いに負けたのかもしれない。いや、瑞穂は最初から香水をつけていなかったことだってありえる。確かに寮の部屋では香水の匂いがした。だが、瑞穂がつけて出たのは、誰も確認していないのだ。

「どうだ?」

背後から森島が声を掛けた。友子は振り向き、灰皿を見るように言った。

湯浅の手が灰皿を引き出した。吸殻が二本。いずれも『マイルドセブン』。フィルターはきれいだ。口紅の跡などはなかった。

――例の記者?

思いを巡らせる友子をよそに、森島たちは驚きの顔を見合わせていた。それは呆れ顔にも近い。

「おいおい、男と一緒かよ」

友子は、もう一度、車内に顔を入れた。今度は嗅がずに、見る。ルームミラーの角度。異常ない。日除け。きちんと上がっている。シートカバーや敷物の乱れ。ない。お守りや小物類の落下。ない。視認できる血痕。ない。

「トモ号、もういいだろ」

運転席のシートはハンドルに近い。よほど小柄でないかぎり、男には狭すぎる。運転していたのは瑞穂――。

森島に強く肩を引かれ、友子は鑑識の輪から弾き出された。

ゆるゆると体の力が抜けてみて、友子は、自分がどれほど緊張していたか知った。

――やっぱり事件じゃない。

吸殻があった。男が車に乗ったことは確かだ。しかし、車内で事件は起こっていない。何かあった車は、何かあったと必ず知らせるものなのだ。それがない。皆無だ。

要するに、瑞穂は自分で車を運転し、この駐車場に車を止め、ドアをロックし、そして、どこかへ向かった。『マイルドセブン』を吸う男が一緒だ。いや、男とは別の場所で会い、ここへは一人で来たのかもしれない。

普通に考えるなら、瑞穂は駅へ向かった。この駐車場はそのためのものだからだ。瑞穂は電車に乗ったのかもしれない。この私鉄は、県内を東西に走っている。途中駅でJ

R線とも乗り入れる。北へも南へも行ける。他県にだって――。

　思った途端、たちくらみがした。友子は、昼食がまだだったことに気づいた。手首を返し、目を落とす。もう三時半だ。

　――何かお腹に入れとかなきゃ。

　友子は目についたコンビニに入り、選ぶでもなく幾つかパンを摘んだ。駐車場に足を向け、だが、店を出てすぐの公衆電話に目が止まった。

　友子は気忙しく番号をプッシュした。呼び出し音に続いて、大嫌いな自分の声が留守を告げた。

　友子は早口で伝言を入れた。

「ヤッチョ――今日、遅くなるからね。冷凍してあるカレー食べてね」

　受話器を置くと、すぐ後ろに二渡が立っていた。手に缶コーヒーを握っている。

「息子さん、中二だっけ？」

「いえ、三年です」

　赤面しながら友子は言った。

「受験か。大変だな」

「なんか、もう捨てちゃってるみたいで――調査官のお嬢さんは？」

「この春、中学に上がったよ。生意気で困る」

　二渡も、森島から事件性はないと聞かされていた。本部に戻るが、友子にどうするか聞いた。友子はここで瑞穂が車に戻るのを待つ気でいたが、制服姿では目立つ。どのみち鑑識作業はまだ当分かかるから、二渡とともに一度、本部へ戻ることにした。

帰りは友子がハンドルを握った。

「調査官——銀行の方はどうでした？」

「手つかずだ。預金をおろした形跡はない」

「遠くに行く意思がないということでしょうか」

「かもしれんな。ただ、これからおろすことだってありえる」

「男が一緒なら、お金は当面必要ないということも考えられますよね」

「ん……」

またしても、二渡の反応は鈍かった。

二渡は、瑞穂が一人でいると決めつけているのかもしれない。無理もなかった。二渡は、瑞穂の部屋で香水の匂いがしたことも、その香水が記者から贈られたことも知らないのだ。情報不足が二渡の判断を狂わせている恐れもある。

——話すべきよね。

瑞穂の車から吸殻が出るという新たな展開もあった。他に男の名前が浮かんでこない以上、記者を蒸し返してみることも必要だろうと友子は思った。

「調査官——」

友子は、香水と記者の件を手短に話した。

さすがに二渡は驚いた様子だったが、返ってきた台詞は淡々としていた。

「一応、潰しておく必要はあるな」

7

更衣室で着替えを済ませ、友子が警務課に戻ると、二渡のデスクに広報官の船木源一が来ていた。額を突き合わせるようにして、ヒソヒソやっている。

「だが、記者でなかったらどうする？　妙な探りを入れてみろ、藪蛇になるぞ。平野の失踪がバレたらどうするよ？」

低い声と、『船木臭』とでもいうべき濃密な体臭が友子にも届いた。

二渡と船木は同期だ。ともにエリート街道をひた走り、昇進も警部までは同着だったが、警視になったのは二渡が二年早かった。以来、二人の間はしっくりいっていないという話だ。そんなわけだから、船木が本心から記者の調査に慎重なのか、或いは、二渡に対する特別な感情から協力を渋っているのか、友子にはどちらとも判断がつかなかった。

友子は、パンを齧《かじ》りながら、空いた方の手で『婦警連絡網』のファイルを引き寄せた。本部と県下十七署に散らばっている婦警四十八名を電話で結ぶネットワークである。瑞穂に関する情報収集にこれを使うと決めた。噂を広めたくないと躊躇していたのだが、もう四時半だ。ただ黙って瑞穂の帰りを待っているわけにはいかなくなっていた。

友子は、連絡網の一番上の番号をプッシュした。W署刑事課の斉藤巡査部長だ。昨年までこの警務課で友子の下にいた。

「斉藤さん、電話を回してほしいんだけど――」

瑞穂の一件を伝え、どんな些細なことでも、瑞穂に関する情報を知っていたら、M駅前の派出所に連絡をくれるよう頼んだ。

受話器を置いて、友子は背後に首を回した。二渡と船木はまだやりあっている。

「記者が吸ってる煙草の銘柄ぐらいわかるだろう。お前、それでも広報官か」

「広報官だから言ってるんだ。危ねえって」

友子は、会話の隙をつき、駅に戻ります、と二渡に声を掛けて課を出た。早足で廊下を突っ切り、階段を下りて玄関を出た。もう外も庁舎の中と同じくらい薄暗かった。

車を飛ばし、友子がM駅に着くと、ちょうど鑑識班が撤収するところだった。

「トモ号、待つのか?」

「ええ」

「ご苦労なこった」

友子は、駐車場に近い、舗道のベンチに腰を下ろした。五時半を回った。ラッシュが始まったのだろう、十五分、二十分といった間隔で、駅から人の塊が吐き出されてくる。それは、ほとんどが色柄のない背広で、クリーム色のワンピースが現れれば、嫌でも目につくだろうと思った。

——いったい、どこへ行っちゃったの？

七時を過ぎると、辺りはすっかり暗かった。駐車場の車もあらかた消え去り、瑞穂の赤い軽自動車だけが、ぽつねんとあった。

電車到着の間隔がすっかり呑み込めた辺りで、友子は腰を上げた。コンビニ前の公衆電話に足を向け、官舎に電話を入れた。

〈はい〉

声変わりしたそっけない声は、父親によく似てきた。

「ああ、ヤッチョ、ご飯食べた？」

〈……よせよ、それ〉

八千雄はすごんだ。

「ヤ・チ・オ・君——お母さん、やっぱり、遅くなるからね」

〈………〉

「聞こえてる？」

〈ああ〉

「少しは勉強するのよ」

電話が切れた。

八時になっても、九時を過ぎても瑞穂は姿を現さなかった。

一人で待つ時間は長かった。八千雄の時間も長いのだと改めて思う。あの子は、いつだって待つことだけを強いられて育った。

腕時計で九時半だと知った時、派出所の制服が走ってきた。電話だと言う。

本部少年課の婦警、足立美津子からだった。連絡網で瑞穂の一件を知ったのだ。

「七尾です。何か知ってるの？」

〈はい。今朝、瑞穂の車を見ました〉

「えっ？　どこで？」

美津子の情報は、友子を驚嘆させた。今朝八時前、本部職員用の駐車場で瑞穂の赤い軽自動車を見たというのだ。瑞穂が車を止める場所はいつも同じだし、フロントグリルに特徴のある車だから間違えるはずがない。美津子はそう断定口調で話した。

電話を切った後も、友子の昂《たか》ぶった神経はおさまらなかった。

瑞穂は出勤していた。駐車場までは来ていた。なのに、本部へは向かわず、再び、車に乗って何処へか消えた。

――どういうこと？

友子は、へたり込むようにして派出所内のパイプ椅子に腰を下ろした。

一つ言えることは、昨日の段階で決めていた失踪ではないということだ。瑞穂はゆうべから元気がなかったが、しかし、本部の駐車場までは行った。出勤するつもりだったのだ、その時までは。ところが、駐車場で瑞穂に何らかの心境の変化が生じた。

それは何か。『マイルドセブン』の男に呼び出されたか。だが、瑞穂は携帯電話など持っていないはずだ。だとすれば――。

――あっ……。

瞬時、友子は、底の見えない古井戸を覗き込んだような恐怖に駆られた。

「係長――」

「……」

「七尾係長――」

ハッとして振り向くと、制服がまた受話器を握っていた。

「平野巡査が実家に戻ってきたそうです」

8

安堵と疑念と腹立たしさが、ごっちゃになって、友子は自分の気持ちがわからなかった。アクセルを踏む。踏み込む。もう急がなくていいことはわかっているのに、そうせずにはいられない。

――何だったの、いったい？

瑞穂の実家は山にほど近い。

両親への挨拶やら何やらで前に何度か来たことはあったが、夜は初めてだ。辺り一帯は酪農の集落で、どこも同じように見えるし、街灯や地番表示もない。迷いに迷って、ようやく家を探し当てたのは、もう日付が変わろうかというころだった。

以前は蚕をやっていたのだろう、茅葺き屋根に煙出しのある母屋。その母屋に繋がるモルタル壁の二階屋に灯があった。

玄関で声を掛けると、もう頭を下げながら、瑞穂の母親が現れた。詫びの言葉を幾つも重ね、おもむろに振り向き、怒気の籠もった声で娘の名を呼んだ。

「瑞穂！　おいで！」

廊下の奥に、クリーム色のワンピースが立っていた。最初それは、硬く、息のない、マネキンのように見えた。

瑞穂は、おぼつかない摺《す》り足で廊下を出てきた。目も鼻も真っ赤だ。相当泣いた。

――瑞穂……。

知らずに吐いた息は長かった。それを吸い戻すように友子は顎を上げ、瑞穂の顔を見つめた。

「よかった……」

棘《とげ》は消えていた。深い安堵だけが、友子の胸にあった。

「係長……すみませんでした……」

か細い声が玄関に響いた。それは、ひどく鼻にかかっていて、泣き声に近かった。

友子は涙腺の刺激に辛うじて堪え、だが、突き上げてくる昂ぶりは我慢できずに瑞穂の体を抱きしめた。

「馬鹿。心配したのよ」

「ごめんなさい……」

「どこに行ってたの？」

瑞穂は答えず、友子の胸に顔を埋めた。真新しい汗の匂いがした。知ってる。泣くということは、何にもまさる重労働なのだ。

通された居間に、瑞穂の父親と森島課長の重たい顔があった。森島が来ていることは、表の車で知っていた。瑞穂は母親に擦り寄るようにして座った。

「わけを言わないんですよ、この娘」

母親は、心底呆れたといった顔で瑞穂を見た。それでも、瑞穂の指先を握った手は放さず、摩《さす》るように時折動かす。

瑞穂は、うつむいたきりだ。石のように固くなって表情を閉ざしている。

「瑞穂！」

煙草を空ぶかししていた父親が怒鳴った。

「あの、お父さん。今夜は――」

慌てて割って入った友子に、森島が相乗りした。

「もう遅いですから、今夜はゆっくり休ませてあげてくださいな。そろそろ私どもも――なあ？」

友子は頷いた。瑞穂の気持ちを知りたいのは山々だが、今夜は無理そうだ。それに、今はただ、瑞穂が無事に帰ったことを素直に喜びたい。

「平野さん——元気になったら電話ちょうだい」

「………」

「約束のあんみつ、食べに行こうね」

「おい」

横から森島が低く発した。もう行こうと目配せしている。

友子と森島は揃って腰を上げた。瑞穂もあたふたと立ち上がり、深々と頭を下げた。その瑞穂の背後に、額に納まった写真が見えた。派出所をバックに、こぼれんばかりの笑顔が敬礼をしている。

両親の後ろに隠れるようにして、瑞穂は玄関までついてきた。一瞬だが、縋《すが》るような視線を友子に投げたような気がした。

外に出ると、怖いほどの星だった。

車に向かいながら、友子は小声で森島に話しかけた。

「平野は一人だったんですか？」

「ああ」

「電車で？」

「そっ。M駅から乗って、こっちへ来たらしい。駅からお母さんに電話したそうだ」

「変ですよね……。だったら自分の車で帰ればよかったのに」

「まあ、考えてもわからんさ」

おざなりな言葉を残して、森島は車に乗り込んだ。

すべては謎のままだった。

失恋。そんな気もする。あの落ち込みようは普通ではない。

車のシートに半分腰を滑らせ、友子は、振り向いて家を見た。

二階に灯がある。その窓から、瑞穂がこちらを見ているような気がした。

——眠るのよ。ゆっくり。

帰りは道に迷うこともなく、四十分ほどで官舎に戻った。

午前二時——。電気はすべてついていた。玄関も、居間も、風呂場も。テレビも点けっぱなしだ。いつものように。

足音を忍ばせ、奥の部屋を覗いた。

八千雄は、服を着たままベッドで眠っていた。寝顔はあどけない。自分の名前がうまく言えず、ヤッチョはね、ヤッチョはねと懸命に自己主張していた、あの幼い日と少しも変わらない。

床に参考書が散らばっている。机の上には、ラジカセ、パソコン、テレビ。店でも開けそうな数のゲームソフトとCD……。

物で埋めてきた。時間も。溝も。負い目も。いつかちゃんとした母親をやる。そう思いながら十五年が経っていた。

布団を掛けなおし、居間に戻った。

カレーを温め、パンを食べた。

涙が出た。

自分の息子にも、後輩の婦警にも、友子の手は届かない。差し延べようとすれば拒まれる。弾かれる。疎まれる。

薬指の指輪が憎らしく見えた。何も相談できない。何も答えてくれない。

テーブルに、朝、開いたままの新聞があった。『お手柄婦警』。制服姿の瑞穂が真っ直ぐこちらを見ている。

――瑞穂……、教えてよ。

香水。煙草。記者。眠気に痺《しび》れてきた頭に、ぶつ切れの単語が飛び回る。

まずは、そう、香水……。瑞穂の部屋で香水の匂いがした。なのに、瑞穂の車の中ではしなかった。いや、さっきもだ。友子は瑞穂を抱き締めた。汗の匂いはした。だが、香水の匂いを嗅いだ記憶はない。

やはり、瑞穂は香水をつけていなかったのだ。つけずに撒いた。部屋の中に。

――なぜ？

いや、瑞穂とは限らない。他の誰かが撒いたっていい。

――誰が？　何のために？

睡魔は強引だった。友子は逆らうのを諦めた。寝よう。いずれにしても、明日また瑞穂に会いに行く。

友子は、腰を上げ、空いた食器を片付け、新聞を閉じた。いや、閉じようとした。その手が止まった。

記事の一行を目が追った。妙な気がした。なぜ、そう思ったのかわからないまま記事を読み進んだ。

目が宙を彷徨《さまよ》った。もう一度、初めから読みなおした。今度は貪《むさぼ》るように。

友子は、目を見開いた。

――あっ！

発見が、瑞穂の縋る視線と交錯した。

瞬時、一つの仮説が浮かんだ。その仮説にすべての情報が取り込まれていく。一つ一つの情報が、あたかも完成図のパーツであるかのように。そして、最後に香水に突き当たった。それもすんなり仮説に吸収された。

仮説は、結論となった。

――まさか、こんなことって……！

友子は、新聞の似顔絵を見た。

精緻な線が、黒く、どす黒く、見えた。

膝に震えがきた。その膝に押しつけた手までもが震えだし、友子はおののいた。

信じがたい。だが、脳がそうだと叫んでいる。その残酷極まりない結論こそが真実なのだと——。

9

夫婦でも恋人でもない男と女が、外で会うというのはなかなか難しい。まして、二人がともに警察官となればなおさらだ。

考えあぐねた末に、友子は、白昼、課の中で『密会』することに決めた。ポマード臭いブルドッグと。

友子は静かに言った。

「似顔絵は似ていなかった——そうですね？」

「……………」

「そして、課長は似顔絵を描き直すよう平野に命じた」

「だったらどうした？」

そう言って、森島課長はソファの背もたれに体を預けた。悪びれた様子はない。ひどく面倒臭そうな顔だ。

友子は、開き直る森島をどこかで予感していた。ここで謝るような男ならば、あれほど酷な命令を下せない。森島は、心底、大したことではないと思っているのだ。

友子は、一週間かけて瑞穂の一件を調べ上げた。読み返した新聞記事に、驚くべき錯誤が潜んでいることを発見したのが出発点だった。

ありえない。

そっくりな似顔絵など描けるはずがなかった。事件はひったくりだった。しかも、被害者は七十歳の老女である。一瞬にして起きたひったくり犯人の顔を正確に記憶できるはずがないと考えるべきだった。瑞穂が、どれほど聞き上手で、誰より絵が上手いとしても、そっくりな似顔絵など望むべくもなかったのである。

ところが、近くのコンビニ店主が「そっくりな男を知っている」と証言し、あっさり元暴走族リーダーが捕まったりしたものだから、誰もがその錯誤を見逃した。

店主はなぜ「そっくり」と言ったのか。

店主は、前々から元リーダーを胡散《うさん》臭いと思っていた。改造した車を乗り回し、昼間でもシンナーの臭いをプンプンさせている。こいつはそのうち何かやらかす。そう踏んでいた。そこへ似顔絵を持った刑事が来た。ひったくり犯人だという。顔の輪郭と髪形ぐらいは近かった。「あいつに違いない」が、「そっくりな奴を知っている」に化けたのだ。いや、もう一つ、裏がある。元リーダーは、この店でポルノ雑誌ばかりを買っていた。その手の雑誌を買う男の心理を考え、レジでは客の顔をまともに見ないというのが販売促進のマニュアルだ。店主は、実は、間近で元リーダーの顔を見たことはなかったのである。

こうしてボタンは掛け違った。

昼前、「似顔絵で逮捕」の情報が鑑識課に飛び込んだ。森島は、課の宣伝になると喜び広報室を通して記者発表の段取りをつけた。ところが、所轄が送ってきた犯人の顔写真は、瑞穂の描いた似顔絵とは似ても似つかなかった。森島は焦った。夕方にセットされた記者発表の時間が迫っていたからだ。

森島は、犯人の顔写真を瑞穂に渡し、これに似せて描けと命じた。瑞穂は拒んだ。できません、と言い続けた。森島は憮然とし、吐き捨てた。

だから、女は使えねえ——。

その台詞が瑞穂を壊した。

真夜中だって嫌な顔一つせず現場に飛んだ。重い機材を率先して担いだ。道端で用を足す班員たちを横目に、下腹を押さえながら足跡に石膏を流し続けた。愚痴も弱音も一度も吐かなかった。なのに、女だと言われた。女は使えない、と。

瑞穂は似顔絵を描き直した。頭の中は真っ白だった。手だけが、習い覚えた線を引いていった。

そっくりな似顔絵は、森島を満足させた。記者たちも好意的に取り上げ、『お手柄婦警』は完成した。

だが、瑞穂は潰れた。自らの職務を裏切った悔恨に押し潰された。翌朝、駐車場までは行った。だが、それが限界だった。課へはどうしても行けなかった。もう婦警の制服には袖を通せない。私は汚れている――。

瑞穂を壊した森島が、友子の眼前にいる。不味《まず》そうに煙草をふかし、貧乏ゆすりの振幅の大きさで、友子を威圧しようとしている。

「香水を撒いたのも課長ですね」

瑞穂が出勤してこない。さすがに森島も慌てた。寮に電話を入れたが落ちつかず、女子寮に出向いた。瑞穂がこの一件を書き残しているかもしれない。他の人間に読まれては面倒だ。そう思った。

瑞穂の書き置きはなかった。森島は胸を撫で下ろし、だが、もう一つの厄介事に気づいた。自分で『トモ号』と名付けたぐらいだから、友子の嗅覚の鋭さは誰よりも知っている。友子は婦警担当係長だ、瑞穂が出勤していないと聞けば、必ずここへ来て、ポマードの匂いを嗅ぐことになる。

森島が寮に出向いた時間は九時台だったから、まだ『遅刻』の範疇だった。なのに、課長自ら慌てて駆けつけ、男子禁制の婦警の部屋に足を踏み入れた。友子に勘繰られるかもしれない。森島はそう考え、窓を開けてポマードの匂いを追い出した。それでも心配で、目についた香水を部屋に撒いた。そして、寮母のトシ江に口止めした。男が部屋に入ったと聞けば瑞穂が気にするだろう、と。

課に戻った森島は「平野が出勤してこない」と友子に伝えた。早すぎも遅すぎもしない時間に。

「もういい。青臭い話はよせ」

「課長――」

「……」

「あんなことで、いちいち失踪されたらたまらねえ。こっちが迷惑してるんだ、実際」

パン。

乾いた音がした。

森島は目を見開いていた。友子の右手は、もう膝の上にあった。

友子は腰を上げた。計算ずくだった。森島は誰にも話せない。婦警に平手打ちを食らったなどと――。

「失礼します」

友子は課を出た。出る時、振り向いたが、森島はまだ衝立の向こうだった。

気分は一向に晴れなかった。森島だけではないのだ。湯浅班長や班員たちも似顔絵の改ざんを知っていたはずだ。いや、ひったくり犯人を逮捕した所轄の刑事たちだって。

だが、誰もそのことを口にしなかった。瑞穂が姿を消し、そして、帰って来るまでの間、誰一人として。

それが恐ろしい。

歩き慣れた廊下が狭く見える。友子は、大股で歩いた。靴を鳴らした。指輪を外し、それを握りしめた。警視にならなければ駄目なのだと、初めて思った。

毎日のように通ったせいか、放し飼いの犬も鶏も友子を外敵と見なさなくなった。

「休職が認められたからね」

友子は、牛の鼻面を撫でながら言った。

「でも……私、もう……」

瑞穂は目を伏せた。ジーンズの上下にぶかぶかの長靴が、すっかり似合っている。

「いいよ。結論は急がなくても。ゆっくり考えて」

「はい……」

10

あの日、瑞穂は街を彷徨った。喫茶店、本屋、また喫茶店。生真面目な瑞穂が潰せる時間などしれていた。

その後の行動が、瑞穂はやはり婦警なのだと物語る。

知りたくなったのだ。なぜ、似てもいない似顔絵を「そっくり」と証言した人間がいたのか。瑞穂は「犯人逮捕」の報に舞い上がり、証言者が誰であったのかを聞き逃していた。新聞にも『近くの店主』としか書かれていなかった。暴走族メンバーによる御礼参りの危険性があるので、各社とも配慮したのだ。

瑞穂には、無届け欠勤の負い目があるから、警察の誰かに聞くわけにもいかない。香水をくれた記者のことを思い出した。支局に電話を入れ、どこの店か教えてほしいと頼んだ。記者はわざわざ会いに出てきた。『マイルドセブン』は、その記者が車に残した。瑞穂は、『店主』がＭ駅前のコンビニの主だと知り、駅の駐車場に車をとめて店に入った。話を聞くうち、機動鑑識班のワゴン車が来たのに気づいた。

「係長がパンを買いに来た時、私、陳列棚の陰で震えていたんですよ」

瑞穂は微かに笑った。あの日以来、初めてだったかもしれない。

「馬鹿ね。声をかけてくれればジュースぐらいおごったのに」

あんみつをおごれる日が来ればいい。そう思いながら、友子は車に向かった。

瑞穂の休職が認められ、友子の心は幾らか軽かった。あの赤間部長が判を押した。二渡は、どんなマジックを使ったのだろう。

その二渡は、瑞穂が実家に戻って以来、何も友子に報告を求めてこない。あの日、二渡は新聞を何度も読んでいた。最初から似顔絵改ざんに疑いを抱き、既に調べを終えているのかもしれなかった。

だとすれば、来春の人事で、二渡という警務課調査官の本音を知ることになる。部下を使って記者発表資料を改ざんした森島課長に責任を取らせるか。それとも、組織の幹部としてやむをえない対応だったとして目溢《めこぼ》しするのか。

――その前にコイツだ。

助手席に黄色いファイルがある。課に戻ったら、手直しを加えたこの『婦警再配置計画案』を二渡に突きつけるつもりだ。

友子は県道にハンドルを切った。

瑞穂から分けてもらった地鶏の卵が後部シートでカチカチと鳴った。

鞄

1

朝と呼べる時間が過ぎてしまえば、手元の灯なしには書類も読めない。D県警本庁舎の造りはそうだし、とりわけ、一、二階を占める警務部フロアは、窓側に擦り寄るように建てられた資材倉庫のお陰で、陽光はおろか外の景色まであらかた奪われている。新庁舎ができるまでの我慢というが、税収減による県財政逼迫《ひっぱく》の煽りを受けて、その建て替え計画は三年近くも宙に浮いたままだ。

背広姿の柘植《つげ》正樹は、ひんやりとした地下道に規則正しい足音を響かせていた。県警本部から県庁の敷地へ行くには、国道を跨《また》ぐ歩道橋を上るか、この地下道を潜るかのどちらかだ。

柘植はいつも潜る。仕事柄そうだというわけではないが、四方から姿が丸見えとなる歩道橋を歩く気はしない。警務部秘書課の課長補佐。警部。三十六歳。『議会対策』がその職務である。

地下道の階段を上がりきると、巨大なオフィスビルを思わす県庁舎のタイル壁が陽光を照り返す。その手前、音楽ホールとでも見間違えそうな斬新な造形の建物が県議会庁舎だ。どちらも五年前に建て替えられた。ここに立つたび、県警だけが置いてきぼりを食わされた現実を嫌でも思い知る。

——まあいい。いずれ動かしてやる。

柘植は、議会庁舎に足を向けた。回転扉を器用にすり抜け、入ってすぐ右手の事務局に顔を出した。いつもはひっそりとしたフロアに、二十人ほどの県職員が忙しく動き回っていた。九月定例県議会が近いから、その準備作業に追われているのだ。

柘植は、見知った職員に声を掛けた。事務局の誰もが柘植の用向きを承知しているから話は早い。

「まだ質問内容を決めていない先生も何人かいますが——」

そう言いながら、職員は五枚綴りの再生紙を差し出した。

『九月定例県議会・一般質問要旨』

柘植は、フロア隅のソファを借りて綴りを捲《めく》った。

本会議の一般質問に名乗りを上げた県議の名がずらり並ぶ。名前の脇には『質問項目』の欄があって、それぞれの県議が事務局に通告した質問内容が箇条書きで記されている。知りたいのはそれだ。本会議にはD県執行部の一人として県警本部長も雛壇《ひなだん》に座り、警察に関する質問が出れば答弁を行う。その答弁の準備をするために、あらかじめ県議の質問内容を把握しておこうというわけだ。

柘植は、目と指を使って慎重に綴りを点検した。

まず、大磯県議の質問項目に『合法ドラッグ問題』とあるのを見つけ手帳にメモした。最近話題の薬物だ。覚醒効果があるが、現行法では取り締まるのが難しい。いつもながら大磯は目のつけどころがいいと感心する。

次いで、三崎県議。『警察関係』とだけ記されている。警察に関する質問をするつもりだが、まだ内容は決めていない。普通ならそうとるところだが、相手が三崎となれば、もう少し深読みする必要があるだろう。

さらに、佐久間県議の名も手帳に書いた。質問項目に『高齢者問題』とある。過去の佐久間の質問傾向からみれば、高齢者の生きがい対策が軸だろう。が、この種の質問は、高齢者の自殺件数やその動機に及ぶことも多い。ならば、県の厚生部長に続いて、本部長も答弁に立つことになる。

他にも幾つかメモをとり、柘植は、安堵の思いとともに綴りを閉じた。

本部長が吊るし上げを食うような質問はなかった。野党議員も今回は休戦らしい。景気は底をつき、倒産や失業といった深刻な問題が山積しているから、呑気に警察をつついている暇などないのだろう。

――まずは三崎長老からか。

柘植は腰を上げた。事務局を出て、ぶ厚い絨毯を踏みしめながら一階奥の大部屋を目指した。『新民自クラブ』。保守系最大会派の議員控室である。

三崎県議の顔はなかった。控室付の嘱託女性に聞くと、上だと言う。柘植は三階に上がった。正副議長経験者には、『執務室』と称してそれぞれ小さな個室が貸与されている。

「失礼します――」

「おっ、柘植君、丁度よかった。いま電話しようかと思ってたんだ」

三崎は、その巨漢をソファに同化させていた。ベルトを緩め、ズボンのチャックも中程まで下ろして下腹の肉を解放し、丸太のような両足をテーブルの上に投げ出している。もう七十に手が届こうという歳だが、脂ぎった顔に青年のような輝く瞳を持っている。

「以心伝心だな、おい」

「これですね？」

柘植が、手帳にメモした『警察関係』を指し示すと、三崎は、そうそうと嬉しそうに頷いた。

「さあて、どんな質問がいいかなあ」

「先生のお考えは？」

「インパクトのあるのがいいんだ。なんかこう、パッと地元ウケしそうなやつが」

九月県議会が終われば、すぐさま県議選に突入だ。その選挙向けに一般質問で点数稼ぎをしておこうという三崎の腹は読める。いや、四年前の選挙では、市民団体の推す新人相手に思わぬ苦戦を強いられた。議長まで経験した長老がわざわざ一般質問に立とうというのだ、内心、今度の選挙への危機感を募らせているに違いなかった。

質問のネタがないのなら県警建て替えの遅れをつかせよう。柘植にはそんな色気もあったのだが、どうやら難しそうだ。いや、いずれ三崎には建て替え推進の旗振り役をしてもらわねばならない。ここは一つ、三崎の思惑に添った質問をひねり、恩を売っておくのが利口だろうと頭を切り換えた。

「久々にシャブでもやるか、なあ?」

「覚醒剤ですか……。大磯先生が似たものをやるようです。合法ドラッグという新手の薬物ですが」

「そうか、それじゃつまらんな。まっ、よさそうなのを考えといてくれんか、そのよく回る頭で」

質問内容まで『丸投げ』するような県議は、今では三崎ぐらいのものだ。が、柘植は、そんな三崎を軽蔑してはいなかった。貧しさから小学校もろくに行けず、だが、一代で建設会社を興し、その資金力にものをいわせて県議会のボスの一人にまでのし上がったこの男の生きざまに、ある種の興奮と共感を覚える。

――さて、何がいいか……。

柘植は、地下道を戻りながら考えを巡らせていた。おそらく、三崎は『バス動員』を掛け、本会議場の傍聴席を地元支援者で埋める。その地元民を「さすがは三崎先生」と感心させる質問――。

地下道を抜けたところで、ふと、三崎の選挙区内で死亡轢《ひ》き逃げ事件があったことを思い出した。二週間ほど前だった。確か、犯人はまだ捕まっていないはずだ。

――使えるかもしれんな。

柘植は、北庁舎の階段を上がった。三階の廊下の突き当たりが、交通指導課である。次席の吉川をつかまえ、轢き逃げ事件の捜査状況を聞いた。

「ああ、あれね、捕まるよ。塗膜片で車種が割れてるんだ。ブルーバードの白。該当する車の台数が多いからちょっと時間はかかるけど、まあ、一カ月勝負かな」

「三崎県議が一般質問でやりたいって言ってるんですが、答弁でブルーバードだとバラしても構いませんか」

「大歓迎だね。車種が新聞とかに出ると、逃げきれないってわかるからさ、出頭してくる奴が多いんだ」

これでいこう。柘植はそう決めた。

三崎に、地元で起きた轢き逃げ事件の捜査状況を追及させる。事件に関する本部長答弁は「鋭意捜査中」と相場が決まっているが、今回に限って犯行車種をリップサービスし、三崎の顔を立ててやる。こちらにとっても損はない。犯人が出頭してくれば儲け物だし、それに、轢き逃げ事件の検挙率は常に百パーセント近い。本部長答弁の中に、その検挙率の高さを忍ばせておけば、警察のＰＲにだってなる。

柘植は、吉川から事件資料を受け取り、本庁舎二階の秘書課に戻った。自分が在籍する課でありながら、入室の際には微かな緊張を覚える。部屋の奥、扉一枚向こうは本部長室である。

『在室』のランプは消えていた。いや、どことなく和んだ部屋の空気で本部長が外出しているとわかる。秘書係の戸田愛子に聞くと、課長をお供に公安委員との昼食会に出掛けたという。そう言われて時計を見ると、もう正午近かった。

――戻る前にやっておくか。

柘植は、うどんの出前を頼み、デスクについてワープロの画面を開いた。

三崎質問の『作文』に取りかかる。冒頭から地元の事件をぶち上げたのでは一般質問の体裁をなさないから、まずは、交通事故全般について言及させるのがいいだろう。

『先般来、モータリゼーションの発達と無謀ドライバーの増加に伴い、県下の交通事情が悪化の一途を辿《たど》っていることは誠に憂慮に堪えないところであります――』

昼休みの間に仕上げた。印字し、読み返し、漢字にはすべて仮名をふった。

――よし。

柘植は、昼食から戻った愛子にコピーを頼み、それを手に課を出た。交通指導課と交通企画課を回ってコピーを渡し、質問に見合う答弁書の作成を依頼した。

――三崎は喜ぶだろう。

足取り軽く課に戻ると、丁度、その三崎から電話が入ったところだった。

〈柘植君、どうだい？〉

「ええ。いいのが見つかりました。明日にでもお届けします」

〈そうか、ありがとう！〉

「恐縮です」

〈借りっぱなしじゃあなんだからな。一つ、情報をやるよ〉

「情報……？　なんでしょう？」

〈鵜飼《うかい》がいるだろう〉

鵜飼県議。保守系のもう一つの会派『県政新風会』の副代表である。

「鵜飼先生ですね？」

〈そうそう、その鵜飼がな、爆弾持ってるらしいぞ〉

「爆弾……ですか？」

〈一般質問で爆弾を投げると言っとる。県警に向けてな〉

柘植は総毛立った。

2

転がるように地下道を走った。

議会庁舎の事務局に駆け込み、肩で息をしながら、もう一度、綴りを見直す。

鵜飼県議の質問項目――。『環境ホルモン問題』『中小企業支援対策』。二つだけだ。警察に関する質問は通告していない。

ならば、鵜飼は予告なく質問をぶつけてくる気か。それも、『爆弾質問』を――。

柘植は身震いした。

答弁に窮し、議場で立ち往生する本部長の姿が脳裏を過《よぎ》った。それは即、議会担当である柘植の首が飛ぶことを意味する。

質問内容は何か。いや、なぜ鵜飼は県警を標的にするのか。

――報復。

直感には裏付けがあった。

鵜飼一郎。五十六歳。五期連続当選の大物県議で副議長も経験しているが、四年前の県議選で陣営が現金買収事件を起こし、運動員十五名の逮捕者を出した。地検主導の強制捜査だったとはいえ、副議長経験者の陣営に初めて切り込んだ捜査二課の面々は大いに胸を張ったものだ。しかし、保守系会派のナンバー2である鵜飼にしてみれば、まさかの強制捜査だったろうし、顔に泥を塗られた屈辱と怒りはいかばかりであったか。

だが、報復とは穏やかでない。

県警と保守系県議は微妙な力関係にある。表層的には協調関係を保ってはいるが、県警は捜査権、県議は議会という武器を持ち、常に互いを牽制し合っている。互いの力を殺し合っていると言い換えてもいい。いや、そうして双方の力が拮抗《きっこう》し、核の抑止力ではないが、刀を抜けずにいる現状こそが望ましいのだ。

片方が私怨で切りつけたらどうなるか。

県警が議会の恨みを選挙で晴らす。県議が選挙の恨みを議会で爆発させる。終わりなき報復の泥仕合である。それは、双方にとって無益な戦いだ。わかっているから、暗黙のルールで報復は禁じ手とされてきた。

その禁を破る。鵜飼が――。

問題は『爆弾』の性能だ。鵜飼は何をぶつけてくる気か。不明朗な金の流れでも摑んだか。外郭団体との癒着問題か。或いは、幹部クラスの不祥事のネタでも握ったか。いずれにしても、鵜飼の質問内容を知ることが急務だ。対応策を考えるにしても、鵜飼を懐柔するにしても、まずはそこだ。

柘植は『県政新風会』の控室へ向かった。鵜飼の姿はなかった。奥に佐久間県議の顔が見える。一人半身で部屋の中を覗いた。鵜飼の姿はなかった。奥に佐久間県議の顔が見える。一人だ。柘植は足早に歩み寄った。

「佐久間先生――」

「やあ、どうも」

佐久間は四十歳の二年生議員だ。頭はきれるが、温厚で偉ぶったところがない。柘植は、隣の椅子に浅く掛けた。都合よく仕事の話がある。そこから入った。

「先生がやる高齢者問題、ウチの方にも引っ掛かりますか」

「うん。自殺件数の推移は聞こうと思ってるんだけど。えーと……」

「捜査一課の検視係が統計をとってます」

「動機の内訳とかもわかるかな？」

「ええ。大体のところは……。あとで私の方で聞いてみます」

柘植は、表情は変えず、声だけ落とした。

「ところで、鵜飼先生は今日はどちらへ？」

「さあ、見ないけどね。上かな」

また一段、声を落とす。

「鵜飼先生が一般質問でウチの関係をやるって小耳に挟んだんですけど」

「ああ。やるようなことを言ってたよ」

「聞いてます？　中身」

「きついらしいよ。内容は知らないけど」

やはり、鵜飼が『爆弾』を隠し持っていることは確からしい。

「会ったら聞いてみるよ。心配だもんな、柘植さんも」

「よろしくお願いします」

柘植は、本気で頭を下げ、夜に電話を入れると告げて、また深々と頭を下げた。

その足で『新民自クラブ』に顔を出した。この世界は、別の会派の人間の方がよほど情報に詳しかったりする。

空振りだった。ただ、当たった県議の誰もが噂は耳にしていた。鵜飼が一般質問で警察ネタをぶち上げるらしい、と。

――直当たりするか。

柘植の決断は早かった。

実際のところ、鵜飼と会うことに抵抗はなかった。やや気難しく、取っつきにくい男ではあるが、特別苦手なタイプではない。この半年余り、議会担当の人間として、普通に付き合い、普通の関係を築いてきたつもりだ。

柘植が鈍感だったのか。或いは、鵜飼がしたたかなのか。本心、鵜飼が県警を『爆破』しようとしているのだとすれば、そのどちらかだ。

柘植は、三階に上がり、鵜飼の執務室のドアをノックした。

応答がない。

「失礼します――」

思い切ってドアを押し開いた。

鵜飼はいなかった。いや、デスクの上に書類鞄があるから、この議会庁舎のどこかにいるのは間違いない。

柘植はドアを閉めかけ、だが、その手が止まった。視線がデスクに行く。年季の入った茶色の書類鞄。チャックが開き、そこから書類の頭が覗いている。

――あの中に……。

微かに呼吸が乱れた。

柘植はドアを閉じた。途端、背後から声が掛かった。

「何だね？」

ぎょっとして振り向くと、廊下に鵜飼の怪訝《けげん》そうな顔があった。手にハンカチがある。トイレから戻ったところだ。

「どうも失礼しました。部屋にいらっしゃるかと思ったものですから……」

鵜飼は、黒縁眼鏡の底の小さな瞳で柘植を見据えた。柘植は内心うろたえた。心臓の鼓動を聞かれた思いだ。

「用があるなら入りたまえ」

「はい」

鵜飼の肩幅のある背中に続いた。ソファを勧められたが、柘植はパイプ椅子を選んだ。デスクの鞄を下ろすと、鵜飼はソファに体を沈めて骨ばった顔を上げた。

「で、何だね？」

「一般質問のことなんですが――」

柘植は遠慮がちに視線を合わせた。

「先生、何かウチの関係で質問をお考えでしょうか？」

「ああ。一つやるつもりだ」

鵜飼はあっさりと言った。気難しそうな表情だが、それは平素の顔でもある。

「内容をお聞かせ願えませんでしょうか。答弁の準備がありますので」

「そいつはできんな」

思いがけない強い調子に、柘植の首筋は強張った。

「話して聞かせたところで君が困るだけだ」

「なぜでしょう？」

「まともな答弁書など作れんからだよ。まあ、謝罪の練習でもしておくよう本部長に言っておくことだ」

全身が粟立った。やはり、鵜飼の目的は報復——。

「これで失礼する」

鵜飼は鞄を手に廊下へ出ると、すぐ前のエレベーターの呼びボタンを押した。扉が開く。鵜飼を追って柘植もすんでのところで乗り込んだ。

「先生、お願いします。質問の中身をお教え下さい」

「君も乗るのか？」

「降りたまえ」

議員専用。わかってはいた。

「……………」

「職権だとでも言う気かね」

「しかし、先生——」

「降りるんだ」

柘植を追い出しながら扉が閉まり始めた。鵜飼の顔と体と、そして書類鞄が、細くなり、消えた。

3

部屋の空気で、本部長が戻っていることはわかった。

秘書課長の坂庭《さかにわ》昭一は、課に入ってすぐ右手の別室にいた。この小部屋は、本部長に会わせたくない来客を『一時隔離』するために使うことが多い。テーブルに茶托が二つあるから、好まざる来客の応対を終えたところとみえる。

「課長――」

入口で声を掛けると、ソファで手帳を見ていた坂庭の頭が振り向いた。柘植の表情に深刻さを見たのだろう、すぐさま顔つきが変わった。

「どうした？」

「まずいことになりました」

別室のドアを閉め、柘植と坂庭はソファで額を寄せた。

「爆弾……。内容は？」

「わかりません」

「止められそうか？」

「難しいかもしれません。鵜飼は本気です」

坂庭は腕組みをして天井を見上げた。

「問題は爆弾の中身だな……」

「幹部の事故でも摑んでいるんでしょうか」

柘植が言うと、坂庭は顔を正面に戻し、だが、ふっと視線を逸らした。

『事故』――。警察職員の不祥事はすべてそう呼ばれる。

坂庭は『事故』を起こした。七年前だ。

酒に酔い、タクシーの運転手を殴って怪我をさせた。たまたま、その運転手が柘植の高校の同級生だった。請われて間に入り、示談に持ち込んだ。監察課には知られず、だから坂庭は今ここにいて、同年代の出世レースにも名を連ねていられる。

この春、坂庭は借りを返した。

秘書課に柘植を呼び上げた。人事権は警務課が握っているが、本部長のお膝元である秘書課は、いわば『特別区』だ。課長の坂庭がその気になれば、本部長の意向だとして課員を選ぶことだってできる。

柘植は内心躍り上がった。警備課のサラブレッドとして着実に階段を上ってきたが、本部長直轄の秘書課、しかも、議会担当という職務には大いに野心をかき立てられた。県議会に精通し、その信任を得ることは、外部との折衝事を苦手とする警察組織の中にあって、特殊能力を得るに等しいと思った。坂庭も長く議会を担当していた。さほど気が利くわけでもないその坂庭が、いま秘書課長の椅子に座っていられるのも、本部長をはじめとする本庁キャリアの面々が、地元議会との良好な関係を欲しているからにほかならない。

だが、議会は諸刃の剣だ。そこでの成功は将来を約束するが、失敗は、その将来を確実に断つ。

「鵜飼が口を割らないのなら――」

坂庭は一寸考え、柘植の目を見た。

「君、監察課に脈があったな？」

「ええ」

監察課の新堂監察官は仲人親も同じだ。警備課時代、新堂の勧めで彼の遠縁の娘をもらった。

「事故の件、当たってみてくれ。言い渋るようだったら、本部長の命令だと言っていい」

「わかりました」

「それと、もう少し県議たちから情報を――」

ジリンと短くベルが鳴った。反射的に坂庭の腰が浮く。本部長のお呼びだ。

「よろしく頼む」

短く言い残し、坂庭はネクタイを気にしながら別室を飛び出して行った。

柘植は、部屋の隅で受話器を取り上げた。内線で監察課の新堂をつかまえ、屋上で会いたいと告げた。夜にでも官舎を訪ねるのが礼儀だろうが、事は急を要する。

屋上に上がると、まだ新堂は来ていなかった。

柘植は、コンクリートで造られた『故郷台』の隅に腰を下ろした。直径二メートルほどの円形の台で、県下の市町村名が、方位に合わせて刻まれている。警視庁警察学校の『望郷台』を模したものだ。辛い時や思い悩んだ時はここに立って故郷を思え――。

柘植は、一度だけここに立ったことがある。八年前だった。故郷の村の方など見なかった。東京の方角を睨んでいた。空が抜けるように青かったことを覚えている。

「よう――」

新堂が姿を現した。足を止め、煙草に火をつける。

「監察官、また吸い始めたんですか。胃に悪いでしょう」

「悪くなるほど残っちゃいないさ」

どこか投げやりな物言いだ。胃潰瘍の手術で入院し、監察課に配属になってからというもの、警備課時代のエリート然とした風格は影を潜めた。急に老け込んだようにも見える。捨てたのかもしれない、上を。

「それより何だ？　突然呼び出して」

柘植は手短に話をした。

「爆弾……？」

新堂もさすがに驚いた様子だった。

「ありますか。ネタにされそうな事故は？」

「いや、ここのところ目立ったのはないな――。本当だ。何もない」

監察課が摑んでいる職員不祥事はない。だとすれば、鵜飼の狙いは県警組織の構造的な問題点だろうか。だが、それを突くにはかなりの調査が必要だ。鵜飼が嗅ぎ回れば、逆情報として、その動きがこちらの耳にも届いていていいはずだ。新堂は、それも聞いていないという。

となると、やはり幹部の不祥事辺りが臭い。坂庭のようなケースもある。監察課が摑んでいなくても、鵜飼が、県議の顔の広さで知りえる情報もあるだろう。いや、何も鵜飼は義憤に駆られて県警を叩こうとしているのではない。目的は報復だ。ならば、過去に遡り、苔の生えた不祥事を昨日あったかのように暴露してくる可能性だってある。

新堂は、三時丁度に腰を上げた。が、ふと遠い目をして独り言のように言った。

「警務課にも当たってみた方がいいな……」

「えっ？」

「エースだよ。監察で知らないネタを摑んでいるかもしれん」

すっかり細くなった新堂の背中を見送りながら、だが、柘植は別の男の顔を見ていた。

二渡真治。『エース』の異名をとる、人事に滅法強い警務課調査官である。四十歳での警視昇任はD県警の最年少記録だ。

柘植は、警務では新参者だから、二渡と満足に口をきいたことはない。だが、その名を耳にするたび、苛立ちを覚える。なぜ、二渡という男が、これほどまでに組織の中で高い評価を受けているのか。

二渡は確かに強い。だが、それは組織の内側に向けての強さだ。外に向かってはどうか。県庁にも県議会にも顔が利かない。事実、県警本庁舎の建て替えを果たせず、その計画を三年も店晒《たなざら》しにしてしまっているではないか。

柘植はまだ故郷台から腰を上げずにいた。

——俺が動かす。

三崎を先頭に保守系県議を総動員し、頓挫した建て替え計画を軌道に乗せる。それは、否応なくD県警に三十代の警視を誕生させ、さらには、『エース』交代劇への確実な一歩となるに違いなかった。

柘植は本庁舎の階段を下り、二階の廊下をゆっくりと歩いた。

警務課のドアが開いていた。奥のデスクに撫で肩の華奢な体があった。鼻筋の通った物静かな細面が、一瞬、柘植に向いた。眼光には、思いがけず鋭さがあった。

柘植は新堂の忠告を無視した。

鵜飼の件は秘書課で処理する。二渡の眼光は、柘植の決心をいささかも揺るがしはしなかった。

4

柘植が官舎に帰宅したのは午後七時を回っていた。四階の角部屋。鉄扉の裏に、眉間に皺を寄せた美鈴の顔が待ち受けていた。

「ねえ、あなた——」

柘植は、後にしてくれと突き放し、電話の子機を握って奥の部屋に籠もった。

美鈴の愚痴は聞き飽きた。ここひと月ほどは陶芸だ。官舎を仕切る警務課長夫人が陶芸に凝っていて、ほかの女房たちを誘ってカルチャー教室に通い始めた。美鈴は嫌でたまらない。指の美しさが唯一の自慢だから、その指で泥をこね回すなど苦痛以外の何物でもないのだ。だったらやめればいいと言えば、爪弾《つまはじ》きが怖いから出来ないという。ならばどうにかうまくやれと言えば、黙り込み、やがて、髪を振り乱して物に当たりはじめる。

出会ったころ、美鈴は、容姿も感性も瑞々《みずみず》しかった。柘植は二度目のデートでプロポーズした。美鈴に夢中だった時期があったことは今でも疑わない。だが、結婚から十年が経ち、美鈴がやつれ、苛立ちばかりをぶつけてくるようになってみると、柘植の思いは複雑になった。この女で本当によかったのか。いや、十年前、エリート上司、新堂の遠縁の娘という触れ込みが、柘植の野心をくすぐりはしなかったか。そして今、新堂の斜陽を目の当たりにして、あてが外れたと舌打ちしている自分がどこかにいないか。役所は役所、家は家。結婚当初、それだけは肝に銘じたつもりだったが、すべては入り乱れた。現実も。感情も。

――やるか。

柘植は、強引に思いを断ち、県議会名簿を開いた。佐久間県議の番号を押す。

「夜分恐れ入ります。県警の柘植です」

〈ああ、柘植さんか――〉

佐久間は、最初から申し訳なさそうな声を出した。

〈わからないんだ。鵜飼先生に聞いてみたんだけどね、逆に、なぜお前がそんなこと聞くんだって睨まれちゃって〉

「そうですか……。それはご迷惑をおかけしました」

〈いや、そんなことはいいんだけど、でも、ちょっとまずい雰囲気だね。鵜飼先生、かなりのことをやるかもしれないよ〉

電話を終えると、柘植は立て続けに煙草をふかした。どれほど苛々しても職場では吸わない。本部長が禁煙中だから、警務部長も秘書課長もみな揃って禁煙中だ。

柘植は、片っ端から県議宅に電話を入れた。保守系議員は全滅だった。思い切って、気心の知れた野党議員にも聞いた。だが、何一つ手掛かりは得られなかった。

苦々しい思いで居間に顔を出すと、夕食を並べていた美鈴が振り向いた。

「ねえ、あなた――」

「ああ」

聞く気はない。はっきり意思表示をしたつもりだったが、美鈴は構わず寄ってきて、耳打ちした。

「守夫がいじめられているらしいの」

「えっ……？」

「お友だちにカバン持たされたり、仲間外れにされたりして――」

柘植は凍りついた。

見開いた目を子供部屋に向けた。守夫の丸まった背中が見えた。小さな手がボードゲームの駒を動かしている。

「守夫――」

思わず声を掛けた。八歳の坊ちゃん刈りが振り向いた。覇気のない、どこかおどおどとした顔。柘植に怒られるとでも思ったのかもしれない。

柘植は、後の言葉が続かなかった。

ちっぽけな村。ちっぽけな世界。小、中学校の九年間、柘植は、蛇のような目をした一人の少年に支配され続けた。おどおどしていたに違いない。目の前の守夫と同じように。

――邪魔なやつは殺してしまえ。

だが、声は出なかった。その見るからに弱々しい自分の分身に、掛けるべき言葉が見つからなかった。

5

秘書課の朝は、本部長決裁を求める各課の課長たちで賑わう。

その出入りに混じって、交通指導課の吉川が、いかにも気まずそうに部屋に入ってきた。自分の課ではあれほど雄弁で朗らかな男が、秘書課となるとやはり勝手が違う。轢き逃げ事件の答弁書を柘植に手渡すと、無駄話もせずにそそくさと立ち去った。

柘植は、その答弁書を一読すると、坂庭に回した。本部長に目を通してもらうよう頼み、昨日書いた『三崎質問』の方を持って課を出た。

九月県議会の開会まで五日しかない。柘植は議会庁舎へ急いだ。三崎に、鵜飼の件を突っ込んで聞いてみようと考えていた。はっきり『爆弾』とまで言ったのは三崎だけだ。

その三崎は、誰からその話を聞いたのか。

執務室を訪ねると、三崎は、昨日からずっとそうしていたのではないかと錯覚するほど、同じ恰好でソファに転がっていた。

「やっ、早いな」

三崎は上機嫌だった。差し出した質問文にはまともに目を通さず、君が書いたのなら安心だの顔で鞄に放り込んだ。

「先生、鵜飼先生の件なんですけど」

「おお、わかったか？」

「いえ。皆目見当がつきません。先生はどこまでご存じなんです？」

「いや、中身は知らんのだ」

「どなたからお聞きになったんです？」

「本人だよ。鵜飼のやつが自分で言ったんだ。県警に爆弾をぶつけるってな」

柘植は合点がいかなかった。確かに、『新民自クラブ』と『県政新風会』は、繋がる代議士が違うだけで、元々は同源である。だが、そうは言っても、会派をたがえる長老にわざわざ手持ちのネタを話し、騒ぎを大きくする必要がどこにあるのか。

――いや、ひょっとしてそれが狙いか……。

騒ぎを大きくするために、鵜飼がわざと吹聴している可能性だってある。なぜか。県警に、自分が『爆弾』を持っていると知らせるためだ。つまりは『爆破予告』である。県警を慌てさせ、それを楽しむ。鵜飼は復讐劇の愉悦をとことん味わおうとしているのかもしれない。

だが、『爆破予告』の思いつきは、柘植にもう一つの考えを浮かばせた。

取り引きだ。鵜飼は『爆破回避』の条件として、何らかの見返りを求めているのではないか。だから、事前に情報を流した。県警サイドと交渉する時間を儲けるために。

昨日会った鵜飼にそうした気配はなかった。何が何でも質問を強行する構えをみせていた。だが、それだってポーズかもしれない。ぎりぎりまで引っ張り、県警が音を上げたところで交渉に持ち込む――。

「地元を当たってみたらどうだ？」

三崎が寝ころがったまま言った。

「地元を……？」

「後援会長とかなら何か知ってるだろう。知らなかったらちょっと揺さぶりゃあいい。後援会がやめろと言えば、鵜飼だって無茶はできんだろうよ」

いい案だと思った。礼を言われるはずが、何度も礼を言って柘植は部屋を辞した。一旦秘書課に戻り、坂庭に報告を済ますとすぐ本庁舎を出た。

鵜飼の選挙地盤であるK市までは、車で三十分ほどだ。出掛けに坂庭が発した声が耳に残っていた。「何とか潰してくれ」。坂庭は坂庭で、ゆうべのうちに親しい県議数人に当たってみたのだという。自分なら何か聞き出せると、それなりの自信はあったろうから、何一つ情報を得られず、事の深刻さを改めて思い知った顔だった。

街に入った。柘植は信号待ちのたび地図に目を落とし、おそらくこの辺りだと見当をつけて、パーキングに車を止めた。通り沿いの米屋で尋ねると、遠山春男の家は角を一つ折れた二軒目とのことだった。言われた通り歩き、ほどなく、『鵜飼一郎後援会事務所』の看板を目にした。

ちょうど遠山は、犬の散歩から戻ったところだった。鵜飼と同年輩の、フラスコのような体型の男だ。

「警察……？」

遠山は、柘植の差し出した名刺に眉を顰《ひそ》めた。無理もない。逮捕は免れたとはいえ、四年前の強制捜査の際には、この男も取調室の硬い椅子でたっぷり脂を絞られたはずだ。

遠山は、戸惑いの消えぬ顔で、どうぞお上がりくださいと純和風の家に招き入れた。回りくどく話せる内容でもないから、柘植は前置きなしに切り出した。

「一般質問で、鵜飼先生が警察問題をやると仰っているんですが、ご存じでしょうか」

「警察問題？」

「警察の、何か問題点のようなことです」

「えっ……？」

遠山は寝耳に水のようだった。身を乗り出し、逆に聞き返した。

「いったい何です？」

「それがわからないので、お邪魔した次第です」

遠山はひどく慌てた。ちょっとお待ちくださいと断り、後援会の幹部に次々と電話を掛け始めた。鵜飼はともかく、後援会の方は、警察に相当懲りているとみえる。

最後の電話を切り、遠山は振り向いた。

「みな知らないと言ってますが……」

「先生に聞いてみて頂けませんか」

「ええ。今夜にでも聞いてみます」

わかったら電話が欲しい。そう告げて、柘植は遠山宅を辞した。

優位に立った気がしていた。

遠山は県警に怯えきっている。『爆弾』の中身が何であるかは別として、後援会は、鵜飼にそれを使わぬよう説得するだろう。期待できる。選挙民あっての県議だ、後援会を無視して動けはしない。

帰りはゆっくり運転し、途中、ファミリーレストランで昼食を済ませ、秘書課に戻ったのは午後二時近かった。

入るなり、戸田愛子が立ち上がった。別室に鵜飼が来ているという。

――なんだって？

夜まで待てず、遠山が鵜飼に連絡をとったに違いなかった。その鵜飼が秘書課に乗り込んできたとなれば、後援会の説得は不調に終わったとみていい。恐れを伴った直感に、柘植は気が動転した。別室のドアを開いた。ノックすら忘れていた。鵜飼と坂庭の顔が同時に目に飛び込んだ。

鵜飼の気難しそうな顔に、みるみる怒りの皺が走った。

「君は私の後援会を脅す気か？」

「いえ、そのようなことは決して……。ただ、先生の質問内容がわからず、このままでは答弁書が――」

「黙れ！」

　ソファの坂庭までもがビクンと背筋を伸ばした。

「これ以上、妙な真似をしたら、即刻、知事に抗議する。それでもよろしいか？」

「先生、どうか――」

　脇から坂庭が情けない声を出し、襟足が見えるほど深く頭を下げた。柘植もそうした。知事に抗議。それは最大級の殺し文句だ。

　鵜飼は怒りとともに立ち上がった。

「言っておくが、私は考えを変えるつもりは毛頭ない」

　別室のドアが閉まるまで、柘植と坂庭は頭を下げたままでいた。

「いよいよまずいことになったな……」

　坂庭は唇を噛んだ。

　起伏に乏しい殺風景な顔は、一見、欲のなさそうな、生命力の弱い生き物に映る。だが、この男にも内に秘めた野心がある。自分がそうだから、柘植には、坂庭のたぎる内面が透けて見えるのだ。

　坂庭は秘書課長を三年務めた。来春は間違いなく異動だ。それを機に、団子状態の出世レースから頭一つ抜け出そうと目論んでいる。秘書課長というポストはそんな夢を見させる。本部長に能力を認められれば、次の異動でさらなる要職に引き上げられる。いや、能力などなくても、単に本部長の覚えがめでたいというだけで、組織の誰もがあっと驚く抜擢人事を授かった秘書課長だって過去にいた。

異動に向けて最も大切なこの時期に、降って湧いたような鵜飼の爆弾騒ぎである。坂庭が平静でいられるはずはなかった。

「爆弾の中身だ。それがわかれば、潰す材料も見つかるかもしれん」

「ええ」

頷いてはみたものの、柘植は、鵜飼の腹を探る手だてが思い浮かばなかった。たったいま鵜飼の逆鱗《げきりん》に触れてみて、『取り引き』はないのだとはっきりわかった。やはり報復なのだ。しかも、その意志は恐ろしく固い。

何度ぶつかろうが、おそらく、鵜飼は質問内容を明かさないだろう。周りの県議は当たり尽くした。後援会も無力だった。脅しはきかない。いや――。

脅しが足りないのではないか。柘植はそう思った。鵜飼本人を脅す材料を見つければいい。こちらも鵜飼の弱みを握るのだ。五分と五分の関係に持ち込み、『爆破』を阻止すればいいではないか。

「課長。鵜飼に何か弱みはありませんか。脅して潰しましょう」

坂庭の驚いた顔が柘植に向いた。

「いや、とくにはな……。私の方でも調べてはみるが……」

坂庭は頼りなく言った。県議相手にそこまでやっていいものか。目と眉は、そんな及び腰の内面を映していた。出世欲は人一倍ありながら、度胸はからきしない。柘植は、坂庭の横面を張り倒したい衝動に駆られた。

――本気で上を見るなら腹を括れ。

坂庭と心中するなど真っ平だった。デスクに戻った柘植は、躊躇なく捜査二課の内線番号をプッシュした。

6

ジャズが鼓膜に痛かった。

夜。柘植は駅裏の喫茶店で、同期の黛《まゆずみ》義之を待った。ジャズの趣味はないが、会話を殺す音が欲しいからここに決めた。

待つ時間の長さが、疎遠さを物語った。行けたら行く。黛の言い方はそうだった。お人好しを絵に描いたような男だから、その声に刺《とげ》はなかったが、やはりそれなりの距離はあった。

八年前、柘植には警察庁入りの話があった。有能な地方警察の警部補を引き抜き、キャリアに準じる処遇をする、いわゆる『準キャリア制度』の対象になったのだ。柘植は迷った。本庁に行くか。県警に残るか。それは、甲子園の常勝野球部に入部して球拾いをするか、或いは、弱小チームのエースとしてマウンドに立つかの選択に似ていた。柘植は悩んだ末に、あの故郷台の上でエースの道を歩むと決めた。以来、同期の集まりには出ていない。キャリアの誘いを蹴り、県警に残ったからには、もう同期の誰であろうが、自分の前を歩かすわけにはいかなかった。

それは現実となっている。今や同期に出世争いのライバルなど存在しない。柘植が競っているのは、三代も四代も上の男たちだ。

二杯目のコーヒーを頼んだ時、店のドアが開いた。

「こっちだ」

柘植が手を上げると、黛は、見ているこちらが恥ずかしくなるような弾んだ足取りでやってきた。

「久しぶりだな、柘植」

柘植は苦笑した。正直過ぎる。悪意など微塵もないとわかってはいるが、同じ建物で毎日仕事をしている人間にする挨拶ではないだろうと思った。

その黛は捜査二課が長い。おっとりした風貌からは想像もできないが、汚職や詐欺、選挙違反といった『知能犯』担当の一員である。

昔話をしたがる黛を制し、柘植は本題に切り込んだ。

「四年前、鵜飼の選挙違反をやったろう」

「ああ、あれは最高だったな」

「なあ黛、鵜飼は何か悪さをしてないか？」

黛は吹き出した。

「悪さをしたから事件にしたんだ」

「昔の話じゃない。今だ。やつに何か弱みはないか？」

「お前な――」

黛は溜め息を挟んで続けた。

「人に話を聞くなら腹を割れよ。何だってお前が鵜飼の弱みを知りたがるんだ？」

「それは……」

柘植は言い澱んだ。『保秘』の問題というより、柘植が現状に窮しているさまを黛に知られるのが嫌だった。

ジャズが、沈黙につけ込むように騒がしさを増した。

「俺さ、最近思うんだ、つくづく――」

黛は独り言のように始めた。

「三十を過ぎたら、友だちってのはもうつくれないよ。仕事の相棒とかはまあできるし、信頼できるやつもいるけど、やっぱ、友だちじゃないさ。青臭いとことか、みっともないとことか互いに知ってないとな。結局、馬鹿やってた二十代までさ。それまでに知り合った奴ってことなんだよ」

ようやくわかった。それが言いたくてここへ来たのだ、黛は。

警察学校時代、柘植は逮捕術が苦手だった。誰と対戦しても負けっぱなしだった。黛が、相手の攻撃を見切るコツを伝授してくれた。初めて勝った。『匕首《あいくち》』を握る相手を素手で捩《ね》じ伏せたのだ。思わず黛に握手を求めた。黛は満面の笑みで――。

柘植は席を立った。

「悪かったな、呼び出して」

「おい、柘植――」

「俺は鵜飼の弱みを知りたいだけだ」

「わかったよ。だから座れ」

黛は紙ナプキンに手を伸ばした。一枚抜き取り、それにボールペンを走らせた。名前。住所――。

「この男を当たってみな。ご期待に応えてくれるかもしれん」

「……すまんな」

「よせよ。似合わないぜ」

柘植を見上げた黛の瞳に、哀れみの色があった。階級が二つも下の、おそらく、退官のその日まで、弱小チームで球拾いを続けるであろう男の瞳に。

柘植は、紙ナプキンとレシートをさらって踵《きびす》を返した。ジャズと、そして背後の瞳から一刻も早く逃げだしたかった。

7

瀬島達彦。

柘植も名前だけは知っていた。

盗犯担当の元刑事。五十歳。面倒見のいい刑事だったというが、それが災いした。自分が刑務所に送った泥棒の女房とねんごろになり、県警を追われた。十三年前のことだ。

その瀬島は、幾つかの仕事を転々とした後、鵜飼の選挙事務所の『裏参謀』に納まった。元警察官の神通力を信じ、その肩書きに金を出す陣営は今も少なくない。だが、四年前の選挙で、元警察官などお守りの代わりにもならないとわかった。瀬島はお払い箱になり、今は中古外車販売店でセールスの仕事をしている。

そんな予備知識を得て、柘植は、I市内にある瀬島の自宅に足を運んだ。事前に電話を入れた。鵜飼県議のことを聞きたいと告げると、瀬島は、まあ寄ってくれぐらいの返事をした。

思ったよりもいい家に住んでいた。それが泥棒の元女房かどうかは知らないが、四十絡みの端正な顔立ちの女が、しずしずと茶を運んできた。

柘植は、かなりの警戒心を抱えてソファに座っていた。元警察官とはいえ、今はまったくの部外者だ。うっかり鵜飼の弱みを知りたいなどと口にしたら、情報がどこをどう飛び回ることになるかわからない。

「俺はやめとけって言ったんだ。なのに、遠山のオヤジが、このままじゃ落ちるって騒いでな。結局、金をバラまいちまったんだ」

柘植が四年前の話を聞きに来たと思ったのだろう、瀬島は違反事件の内幕をぺらぺら喋った。

「しかし、鵜飼も知ってたんでしょう？　買収のことは」

「いや。知らなかったんだ。ぜんぜん」

庇うような口調だったから、柘植は肩透かしを食わされた気がした。事務所をクビにされた瀬島は、当然、鵜飼を恨んでいると踏んでいたが、どうやらそうでもないらしい。

「見かけによらず臆病なんだよ、鵜飼って男は。二課が踏み込んだ時は震えてたぜ。まっ、俺もそうだったけどな」

瀬島は唇の辺りだけで笑った。

「しかし、警察を恨んだでしょうね」

「鵜飼が？　ないな、それは。まあ、腹の中はわからんが、少なくとも俺は恨み言一つ聞いてない」

「そうですか……」

柘植が思考を巡らせた、その一瞬の隙を突いて瀬島が人の名を口にした。

「……えっ？」

「山根順一さ。どうしてるかな？　一課に上がったって聞いたんだが……」

ああ、と柘植は得心した。瀬島は、昔の刑事仲間の近況を知りたがっている。しばらく柘植は付き合った。捜査畑には疎いから、瀬島が次々口にする名に頷くのがやっとだったが、それでも、どうでもいいような幾つかの情報は瀬島を喜ばせた。

柘植は警戒心を緩めた。瀬島は、半分は警察の人間のつもりなのだ、今も。

「瀬島さん。一つ教えてもらえませんか」

「なんだい？」

「鵜飼に弱みはありませんか」

「弱み……？」

瀬島は、柘植の顔をまじまじと見た。

「知りたいんです。どうしても」

「訳ありだな」

「鵜飼は選挙の恨みを晴らす気です」

「ありえんよ。あの臆病者に限って」

「いえ。鵜飼は県警に宣戦布告しました」

その一言は、瀬島の心を揺さぶったようだった。ややあって口を開いた。

「女がいるにはいるが――」

帰路の車で、柘植は思考を巡らせていた。

大場絹江。クラブホステス。鵜飼とは三年前からの付き合い。だが、鵜飼の女房は昨年、病死している。

――弱い。

大人の男女の関係と言ってしまえばそれまでの話だ。相手が『クラブホステス』というのが唯一の攻撃材料だろうが、どう料理したところで、『爆弾』には対抗できまい。

――しかし、妙だ。

柘植は別のことが気になっていた。鵜飼の本性である。

取っつきにくいが常識的な男――柘植が半年付き合っての印象だ。

頑固で強権的――今回の騒ぎが持ち上がってからの鵜飼はそうだ。

臆病な男――瀬島の分析である。

嚙み合わない。まるで三つの人格が共存しているかのようだ。

確かに、前回の選挙で鵜飼は煮え湯を飲まされた。だが、その鵜飼はひどく臆病で、県警に楯突くなどありえないと瀬島は言う。柘植の思いもそれに近い。これまで一度だって、鵜飼の言動に警察アレルギーのようなものを感じたことはなかった。その鵜飼が突如、暴れ出した。選挙から四年も経った今ごろになって――。

柘植は、煙草に火をつけた。二本、三本と車の灰皿に吸殻が重なった。

県議会は三日後に開会だ。鵜飼の内面も、『爆弾』の中身もわからないまま、時間だけが過ぎていく。

車のデジタル時計の数字が、爆弾の時限装置のように見えた。

――爆弾質問……。本部長謝罪……。

8

不安と苛立ちの中で、九月定例県議会が開会した。一般質問は明日からだ。午後には鵜飼も登壇する。

この三日間、柘植はK市内の鵜飼の自宅に日参した。だが、家政婦の顔と声を覚えただけだった。居留守を使っているのか、鵜飼が本当に家を空けているのか、それすらもわからなかった。

「本部長の耳には……？」

「いや、まだ何も話してない」

秘書課別室で、柘植と坂庭は、この日何度目かの密談を交わしていた。もうここに至っては、鵜飼懐柔は諦めざるをえなかった。次善の策は決まっている。『爆弾』の中身を知ることだ。

どれほど破壊的な質問であれ、事前にその内容を知っていれば、少なくとも本部長答弁を練り上げておくことはできる。たとえ、その場凌《しの》ぎの苦しい答弁になったとしても、本部長が冷静に対処したとの形は残せる。だが、奇襲を食らい、本部長が言葉に窮し、額に脂汗を浮かべて立ち往生するようなことがあれば、県警の威信は地に落ちる。

じりじりとした焦りを感じながら、しかし、柘植はデスクワークに追われた。本部長は、すべての答弁書に膨大な赤字を入れ、突き返してきていた。官僚的な表現や言い回しを苦心惨憺して排した跡が窺える。だが、本部長を待ち受けているのは良識ある議会ではない。県警を揺るがす『爆弾テロ』なのだ。

夕方になって、柘植と坂庭はまた額を突き合わせた。

「ここを当たってみてくれ——」

坂庭はメモ用紙をテーブルに這わせた。D市内のマンションの住所と部屋番号が記されていた。クラブホステスの大場絹江。柘植の情報を元に、坂庭も奔走したらしい。

「絹江の部屋ですね?」

「いや、鵜飼名義だ。絹江の方が通ってくるらしい——。ラストチャンスだ。どうにか質問内容を聞き出してきてくれ」

坂庭の声は切羽詰まっていた。

拝まれる筋合いなどなかった。柘植とて同じ立場なのだ。鵜飼との勝負に敗れれば、否応なく坂庭との心中が決まる。

「柘植君、頼むぞ」

坂庭は、高級洋酒の入った紙袋を柘植に抱かせた。

午後九時——。柘植は紙袋を下げて、マンション八階の一室を訪ねた。絹江が部屋にいれば入室は難しくなるから、ネオンが盛りのこの時間を選んだ。

ドアの上の壁に、カメラの支柱らしき金属製の突起物があった。ブザーを押す指が微かに震えた。ややあってドアが開き、鵜飼が顔を出した。バスローブを纏《まと》っている。

「君か――」

気難しそうな顔に、だが、戸惑いの色は隠せなかった。人の道は外していないにせよ、ホステスとの愛の巣を急襲され、平静でいられる公人は少ないだろう。

ここでドアを閉じられたら、すべては終わりだ。柘植は、思い切って言った。

「先生、少しだけお話をさせて下さい――。絹江さんが戻る前には帰ります」

鵜飼は、小さな瞳を開き、眼鏡を外し、忌ま忌ましそうに柘植を見据えた。

「何が言いたい？」

「十分だけお話を――。お願いします」

「………」

「先生――」

「上がれ」

柘植は深々と頭を下げ、鵜飼の背を追ってリビングルームに入った。

「十分だけだぞ。粘ったら知事に電話を入れる。いいな？」

そう言って握ったコードレス電話が、突如鳴りだし、鵜飼は舌打ちした。

「もしもし――ああ。私だが……。なんだと？」

鵜飼は、ちらりと柘植に目をやり、ソファから腰を上げて電話に言った。

「ちょっと待て。場所を変える」

聞かれたくない話のようだった。柘植に向け、帰るなら勝手に帰れと言い残し、鵜飼は寝室に消えた。ドアが閉まる。

部屋に一人残され、柘植は落ち着かなかった。

――どうした？　早く済ませろ。

柘植は、寝室のドアを睨んだ。が、その視線がすっと下がった。

ソファの脇に書類鞄があった。

鼓動が一気に早まった。

柘植はドアに目線を上げ、すぐ鞄に戻した。油断なくまたドアを見る。

決意よりも先に体が動いた。ソファに座った形のまま腰をかがめて歩き、寝室に聞き耳を立てた。鵜飼の声。なにやら夢中で話している。

柘植は後ずさりした。ソファの脇で片膝をついた。寝室のドアを凝視しながら、鞄に手を伸ばした。ひんやりした手触りが脳に届いた。静かにチャックを引く。

書類が覗いた。動悸が激しい。息苦しくさえあった。

汗ばんだ指が書類を摘んだ。端から見る。環境ホルモンに関する資料。中小企業の倒産件数のデータ。生命保険のパンフレット。また資料。メモ書き。後援会名簿。資料。同窓会名簿。資料。資料。資料――。

ない。『爆弾』はない。警察に関する資料など一枚もなかった。

——くそっ！

寝室で物音がした。柘植は転がるようにソファに戻った。次の瞬間、ドアが開き、鵜飼が現れた。柘植の様子が普通でないと、すぐに気づいたようだった。

「どうした？」

「いえ……」

柘植は背中にびっしょり汗をかいていた。

「もう十分経ったぞ。帰りたまえ」

「質問内容を聞くまでは帰れません」

後ろ暗い思いを振り払うように、柘植は強い調子で言った。いや、必死だった。鞄に『爆弾』はなかった。眼前の、この鵜飼の頭の中にだけ、それは存在するのだ。

「お聞かせ下さい。概略だけでも」

「明日になればわかる」

「いま知りたいんです。是が非でも」

「それはそっちの都合だろう」

柘植は唇を噛みしめた。

殺意とはこういうものなのだろうと思った。鵜飼を殴りつけたかった。ソファから引きずり下ろし、足蹴にしてやりたかった。

しかし、ソファから下りたのは柘植の方だった。膝を揃えた。両手をついた。これは演技なのだと自分に言い聞かせながら、しかし、体は怒りと屈辱に震えた。

「先生——。後生です。お教え下さい。この通りです」

柘植は絨毯に額を近づけた。頰が火を吹く。こめかみで血流が波打つ。絨毯との数センチの間隙がプライドだった。それすらも捨てた。化繊の臭いにむせそうになった。心がその場から逃げた。蛇の目をした少年と守夫の顔が見えた。そこからも逃げた。青空が見たかった。燃えたぎる野心を胸に見上げた、あの日の真っ青な空を——。

「土下座が好きなら、選挙にでも出たらどうだね」

弾かれたように上げた顔に、洋酒の紙袋が突きつけられた。鵜飼はにやりと笑った。

「明日、議場で会おう」

9

大理石と銘木をふんだんに使った豪勢な本会議場を、照度をやや抑えた暖色の灯が包み込んでいた。

その本会議場の裏手、県職員用の控室で、柘植は身を硬くしていた。一般質問は始まっていた。壁のスピーカーから、三崎県議のよそ行きの声が流れている。

〈——卑劣極まりない轢き逃げ事件は、市民に怒りと、悲しみと、そして、多大な不安

を――〉

柘植は上の空だった。辺りは、風呂敷包みを抱えた県庁職員で溢れている。予定外の質問に備え、あらゆる資料を手に待機しているのだ。柘植は、その資料を準備することすらできなかった。

〈鵜飼一郎君、御登壇願います〉

議長のだみ声がスピーカーを震わせた。

柘植は縮み上がった。いよいよだ。鵜飼が『爆弾』を投げつける。

鵜飼の声が流れ始めた。

〈昨今、新聞テレビ等々で取り上げられております通り、今や環境ホルモンの問題は――〉

通告に従い、質問は環境ホルモンから始まり、次いで、中小企業支援対策へと移った。

それもまもなく終わる。

鵜飼が一つ、咳払いをした。

小さな間があった。

柘植は目を閉じた。両手で痛いほど膝頭を握った。胸の真ん中辺りが締めつけられた。

鵜飼の声が響いた。真空の頭に、言葉が、文章が、ゆっくりと入り込んできた。

〈誠意あるご答弁を期待しつつ、これにて私の質問を終わらせて頂きます〉

――えっ？

柘植はスピーカーを見上げた。

終わった？　鵜飼の質問が？

〈環境ホルモンに関しましては、県と致しましても極めて重大な関心を抱いているところでありまして――〉

環境部長の答弁が始まった。

柘植は走った。議場裏の扉を細く開き、議員席を見た。鵜飼の顔があった。いつも通りの気難しそうな顔だ。体をやや斜めに傾け、部長の答弁に頷いている。

終わったのだ、本当に。

柘植は、力ない足音を地下道に響かせていた。安堵と、脱力感と、そして、渦巻く疑念の中にいた。

――なぜだ？

なぜ鵜飼は『爆弾』をぶつけてこなかったのか。後援会の圧力か。ゆうべの電話が何か影響したのか。それとも――。

一つの疑いが脳に突き上げた。

鵜飼は本当に『爆弾』を持っていたのか？

持っていないのに、持っていると言った。そうだったのではないのか。

――何のために？

県警を慌てさせるためか。いや、違う。慌てたのは組織ではなかった。秘書課だ。もっといえば、柘植と坂庭だ。二人だけが鵜飼に振り回された。

鵜飼の狙いは、柘植と坂庭にあったのだろうか。だが、二人を慌てさせて、いったい鵜飼に何の得があるというのだ。

――わからん。

秘書課に戻ると、別室のドアが開いていた。何度か来たことのある会社社長の角張った顔と、応対する坂庭の後ろ姿が覗いていた。

柘植は自分のデスクについた。

途端、霧深い思考に黒い影が走った。柘植は、幽霊を確認するような思いで、ゆっくり別室に目をやった。

坂庭の後ろ姿――。

それが普通だ。別室のソファの配置はそうなっている。坂庭は来客を奥のソファに座らせ、自分はドアを背に座る。

だが、あの日は違った――。

柘植は後援会の遠山を当たって課に戻った。鵜飼が来ていると知らされ、ノックもせずに別室のドアを開いた。鵜飼と坂庭の顔が同時に目に入った。そうだった。二人は向かい合わず、ソファに並んで座っていたのだ。

鵜飼は気難しそうな顔だった。だが、それは平素の顔だ。柘植が入室するまでは怒っていなかった。坂庭と二人の時は。

鵜飼と坂庭がグルだとする。そうなのだと考えてみる。

思い当たることがある。今回の騒ぎが持ち上がってから、坂庭は一度たりとも鵜飼の懐柔に出向かなかった。すべて柘植任せだった。坂庭は長く議会を担当した。当然、鵜飼とも付き合いがある。なのに、自分の首すら危うい状況になっても、鵜飼に直接会いに行こうとはしなかった。

坂庭と鵜飼が組み、柘植を陥れた。

いや、そうとまでは言えない。柘植は走らされただけだ。実害はなかった。そもそも二人に恨まれる覚えもない。

――妄想か……。

「ご苦労さん」

いつ別室から出たのか、坂庭が声を掛けてきた。

「柘植君、まあ、よかったとしよう」

「ええ。しかし……」

「それよりな――」

坂庭は声を落とした。

「鵜飼が所轄に盗難届けを出したよ」

「えっ？」

「書類鞄を盗まれたんだと」

そう言って、坂庭は微かに笑った。

柘植は、口を開いたまま、坂庭の背中を見送った。

――鞄を盗まれた……?

しばらくぼんやりしていた。戸田愛子が差し出したコーヒーにも気づかなかった。

――鞄……。

戦慄は静かにやってきた。

鞄。指紋。防犯カメラ。罠。様々な単語が繋がり合い、柘植の頭の中で、思いもよらない一つの物語を紡いでいった。

柘植でも鵜飼でもない。それは、坂庭昭一という秘書課長が主人公の物語だ。

坂庭は来春の異動で飛躍する。部長ポストを目指して走る。その前に、たった一つ、将来の禍根となりうる心配事を消し去っておきたかった。七年前の『事故』だ。そして、柘植を秘書課に呼び上げるところから、既に坂庭の計画は始まっていた。『爆弾』騒ぎを起こし、柘植を追い詰めた。保身に駆られ、最後には柘植が鵜飼の鞄に手を出す。そう確信していた。ゆうべのマンションへの電話は坂庭が掛けた。柘植を一人、鞄と向き合わさせるために。ドアの上の壁には防犯カメラの支柱だけがあった。カメラはリビングルームのどこかに仕込まれていた。そして、鵜飼は寝室でそのモニターを見つめながら、柘植が犯行に手を染めるまで電話を長引かせていた――。

書類鞄は盗まれていない。いつか柘植が坂庭の脅威となった時、鞄はどこかの街の派出所近くで発見される。大物県議から盗難届けが出ている。鞄は鑑識に回される。その書類のすべてに、べったりと柘植の指紋がついている。県議の鞄を盗んだ男。表沙汰にならずとも、柘植は組織の中で死ぬ。

いや、物語はそうは展開しない。柘植が、坂庭の『事故』のことを口にすることは永久にないからだ。五分と五分の関係。坂庭が、柘植の『事故』を握ったところで、この物語は終わる。

鵜飼にも、脇役としての物語はあったろう。瀬島が見抜いた通り、鵜飼はひどく臆病な男だった。強制捜査で魂を抜かれ、とっくに県警の手中に落ちていた。本部長側近の坂庭に協力を持ちかけられ、恩を売ろうと引き受けた。だが、鵜飼が片棒を担いだ理由はそれだけだったろうか。柘植に投げつけた刺々しい言葉の数々。鵜飼は、腹にあった県警への恨みを、柘植というスケープゴートにぶつけることで晴らしたのではあるまいか。

いや、すべては物語なのだ。誰も何も答えはしない。

柘植は、課長席を見た。

起伏に乏しい殺風景な顔は、横顔だと、より印象が薄い。

不思議と怒りは湧いてこなかった。

自分が坂庭の立場だったら、おそらく、同じようなことを考える。坂庭の『事故』はいつかまた使える。柘植は頭のどこかでそう考えていたのだ。

秘書課の午後はいつも通り静かだった。ふと目をやった窓には、資材倉庫の赤茶けた屋根があった。その上に、細い帯のような青空が、窮屈そうにあった。

10

官舎に灯はなかった。

美鈴と守夫は、隣町の美鈴の実家に行っている。いじめがひどくなり、学校の許可を得て、緊急避難的にそうさせていた。

柘植はカップラーメンを啜《すす》った。洗濯機を回した。風呂の湯を張り、だが、途中で蛇口を閉じた。ベッドに転がった。しばらく大の字でいた。

壁に、柘植の顔がある。クレヨンと絵の具を塗りたくったその顔は、少しも似ていないと思う。添え書きの文字も下手くそだ。

『お父さん　おしごと　がんばって』

柘植は、身支度を整え、官舎を出た。ひとつだけ守夫に掛ける言葉が浮かんだ。そんな気がして車を出した。

一人でいい、友だちをつくれ——。

本心かどうか、柘植にはわからなかった。ややもすれば白けていく心を捩じ伏せるかのように、柘植はアクセルを踏み続けた。

解説

北上次郎

横山秀夫『陰の季節』が決定的に新しかったのは、警察小説でありながら捜査畑の人間を登場させなかったことだ。いや、主役にしなかったことだ。たとえば本書には、表題作の他に「地の声」「黒い線」「鞄」と全部で四篇が収録されていて、すべてD県警本部の警務部が舞台になっている。「陰の季節」はその中の警務課、「地の声」では監察課、「鞄」は秘書課、がそれぞれ舞台になっている。「黒い線」のみ、鑑識課を舞台にしているが、これも主役は警務課の婦警担当係長だ。警務課の二渡は人事の素案作りが仕事であり、監察課の新堂は警察職員の賞罰に関する情報を集めて調査するのが任務であり、秘書課の柘植は議会対策を職務とし、県議員の質問に県警本部長が本会議ですみやかに対応できるよう、議員たちの間を毎日飛び回っている。つまり、捜査畑の人間に代わって横山秀夫の小説で主役を張るのは、管理畑の人間なのである。その意味で、横山秀夫の警察小説は、捜査小説というよりも、「管理部門小説」といっていい。

事件が起きて、犯人を見つけ出すまでのさまざまなディテールを描くのが警察小説の王道だが、横山秀夫はその道を取らないのである。事件は起きるが、それは外部ではなく、いつも警察内部に起きる。しかも、そのきっかけは囁き声だ。S署の署長が管内の造園業者に、タダ同然で女房の実家の庭を作らせたらしい。Q警察署の生活安全課長はパブ夢夢のママとできている、らしい。そういう囁き声が情報として、たれ込みとして彼らの耳に入ってくると、横山秀夫の主人公たちは動きだす。それらが表に出る前に、なんとか内部で処理しなければならない。それが彼らの使命だ。そうして横山秀夫の小説は始まっていく。外部の事件なら捜査畑の人間を主役にすればいいだろうが、内部の事件なので管理部門の彼らの出番になるということだ。

管理畑の人間を主役に抜擢した瞬間から、事件の性質がそのようなものであることが決定づけられたということだが、もう一つ強調しておかなければならないのは、同時に心理ミステリーの方向を持つことも、その主役の選択から決定づけられる。証拠を突き出して「犯人」を探すことが彼らの仕事ではないのだ。むしろ、犯人が明確になって表沙汰になることを防ぐのが彼らの仕事といっていい。いや、彼らは犯人の追及というほどの明確な事件をもともと対象にしているわけではない。たとえば表題作では、刑事部長を最後に勇退した大物OB尾坂部が、天下り先のポストを辞めないと言いだすのが発端である。任期は三年、というのが口約束で、次の人間にそのポストをまわさなければならないから、一人がこういうことを言いだすと組織が成り立たなくなる。そこで「人事のエース」二渡の出番となるのだが、組織の掟を知っているはずの尾坂部がなぜそういうことを言いだしたのか、二渡は考えなければならない。すべてを丸くおさめることが第一義なので、尾坂部の弱みを握って脅かして追い出せば済む、という問題ではない。尾坂部は何を考えているのか。彼が考えていることさえわかれば、解決も困難ではない。組織内のみんなが納得する道を探り出すのが二渡の仕事なのである。だから、鍵は尾坂部が何を考えているか、だ。その心理に二渡はとことん迫っていくのである。管理部門小説は、主人公の職務上の要請から常にそういう心理ミステリーの側面を持つ。

横山秀夫は、長らく新聞記者をしていた経験を持つので、この「管理部門小説」はその頃の豊富な体験と取材経験に基づいているのかもしれないが、結果として実に新鮮なミステリーの造形に成功したことは特筆しておかなければならない。派手な事件がなくてもミステリーは成立することを、謎はむしろ人の心の中にあることを、見事に証明してみせたのである。

横山秀夫は平成三年に『ルパンの消息』がサントリーミステリー大賞の佳作となっているものの、単行本としては、第五回（平成十年）の松本清張賞を受賞した表題作をおさめる本書が第一作品集であり、続けて第五十三回（平成十二年）の日本推理作家協会賞短篇部門賞を受賞した「動機」を収録する第二作品集を刊行しているので、短編作家として我々の前に登場したといっていい。長編の構想もあるようなので、いずれは長編ミステリーを読む機会もあるだろうが、それまではこの作者の短編世界をじっくりと味わっていただきたい。おそらく、あなたの知らなかった警察小説と出会うはずだ。

第二作品集の表題作となっている「動機」もまた、そういう作者の特徴を遺憾なく発揮した好短編と言える。いずれ本文庫に収録されると思われるので、ここでの詳細な紹介は控えるが、この短編における謎は、警察手帳の紛失だ。しかも一括保管していた三十冊の警察手帳が丸ごと紛失するという冒頭から始まる心理ミステリーは、横山秀夫にしか書き得ない傑作といっていい。しかしここでは、紛失した警察手帳を探す話の背景に、捜査部門と管理部門の対立や、老人性痴呆症の父親をかかえる主人公の私生活があることに留意しておきたい。

これが横山秀夫作品の三つめの特徴になるのだが、管理部門の人間を主人公にした心理ミステリーの奥に、いつもすぐれた人間ドラマがひそんでいるのである。話を本書に戻せば、「地の声」の主人公新堂隆義は警務部監察課の監察官だが、鬱屈した日々にいる。それは本来なら所轄の署長に任命されるはずが、病気のためにその辞令が書き換えられ、配属された部署だからだ。館内にラジオ体操が流れる午後三時が、以前は活気にあふれているように思われて好きだったのに、今では嫌いになっているのもその鬱屈のためである。監察課に寄せられる苦情、密告の類を調査するのが彼の仕事だが、午後三時になると郵便配達のバイクが郵便物を配達にきて、彼の一日が始まっていく。だから、今は午後三時が嫌いになっている。

ラジオ体操が流れる午後三時は去り、郵便配達のバイクがやってくる午後三時だけが残っている。そういう新堂の心象風景を作者がさりげなく描いていることに注意したい。

組織内の対立とか、出世争いなどの目に見えるドラマだけではなく、このように主人公の性格や現在を巧みに映し出す挿話やドラマを、いつも背景に用意しているのが横山秀夫なのだ。それがいつもさりげないのは、この作者の節度というものだろう。押しつけがましくなく、ドラマはいつもひっそりと背景に佇んでいる。しかし、だからこそ、短編をきりりと引き締めていることも見逃せない。

たとえば本書に収録の「鞄」だ。警務部秘書課の警部柘植正樹は、県議員の質問内容を調べるために東奔西走する。いつものように、その奥にさまざまな謎がひそんでいて、柘植がそれを解いていくかたちになるのだが、物語の途中に柘植の私生活がさりげなく挿入されていることに留意。帰宅すると、小学生の息子がいじめられているらしいとの話を妻から聞くのだ。途端に、彼は自分もまた幼いころ蛇のような目をした少年にいじめられていたことを思い出し、息子にかけるべき言葉がみつからない。この短い挿話がなぜ必要なのか、ラストにいたってようやく判明する。読者の興を削ぐといけないので曖昧に書いておくが、そのラストは柘植が息子の絵を見るシーンである。クレヨンと絵の具を塗りたくった柘植の顔は少しも似ていない。添え書きの文字も下手くそだ。そこに書いてあったのは「お父さん　おしごと　がんばって」という文字。それを見た途端、柘植は息子にかけるべき言葉をようやく思いつく。「一人でいい、友だちをつくれ」

先に書いたように、警察組織の管理部門にいる人間は、組織そのものを守らなければならない。それが仕事だ。だから表沙汰にならないよう、ひそかに内部の人間の心理に肉薄していく。横山秀夫は、そのサスペンスをいつも見事に描き出す。しかし、たとえそれが仕事ではあっても、本当にそれでいいのかという疑問はなくならない。彼らだって人間なのだ。生活を守るためには職務を投げ出すわけにはいかないが、本当にこれでいいのか。そのぎりぎりの感情を「一人でいい、友だちをつくれ」という言葉に託して、この作品集は幕を閉じる。その切なさがあるからこそ、管理部門小説が成り立っていることは銘記しておかなければならない。

すなわち、横山秀夫の作品は、管理部門の人間が主役を張るという斬新な警察小説であり、サスペンスたっぷりの心理ミステリーであるのだが、それだけのことなら「面白かったね」というだけで忘れてしまうだろう。読者だって忙しいのだ。横山秀夫の小説が読み終えても残り続けるのは、管理部門で働く人間の悲哀をも描いているからである。その切なさが、我々と同じような些細な悩みをかかえる日々の営みが、鋭く活写されているからこそ、読み終えるとふと隣の人に話しかけたくなるのである。

（文芸評論家）

単行本　一九九八年十月　文藝春秋刊

初出誌

陰の季節　文藝春秋一九九八年七月号
　　　　　第五回松本清張賞受賞作

地の声　オール讀物一九九八年九月号

黒い線　書下ろし

鞄　書下ろし

文春文庫

陰《かげ》の季《き》節《せつ》

定価はカバーに
表示してあります

2001年10月10日　第1刷
2023年8月25日　第42刷

著　者　横《よこ》山《やま》秀《ひで》夫《お》
発行者　大沼貴之
発行所　株式会社 文藝春秋

東京都千代田区紀尾井町 3-23　〒102-8008
TEL 03・3265・1211㈹
文藝春秋ホームページ　http://www.bunshun.co.jp

落丁、乱丁本は、お手数ですが小社製作部宛お送り下さい。送料小社負担でお取替致します。

印刷・凸版印刷　製本・加藤製本　Printed in Japan
ISBN978-4-16-765901-1

（　）内は解説者。品切の節はご容赦下さい。

東野圭吾
ガリレオの苦悩
〝悪魔の手〟と名乗る人物から、警視庁に送りつけられた怪文書。そこには、連続殺人の犯行予告と、湯川学を名指しで挑発する文面が記されていた。ガリレオを標的とする犯人の狙いは？

ひ-13-8

東川篤哉
魔法使いは完全犯罪の夢を見るか？
殺人現場に現れる謎の少女は、実は魔法使いだった!? 婚活中の女警部、ドMな若手刑事といった愉快な面々と魔法の力で事件を解決する人気ミステリーシリーズ第一弾。（中江有里）
ひ-23-2

東川篤哉
魔法使いと刑事たちの夏
切れ者だがドMの刑事、小山田聡介の家に住み込む家政婦マリィは、実は魔法使い。魔法で犯人が分かっちゃったけど、どうやって逮捕する？　キャラ萌え必至のシリーズ第二弾。

ひ-23-3

東川篤哉
さらば愛しき魔法使い
八王子署のヘタレ刑事・聡介の家政婦兼魔法使いのマリィは、数々の難解な事件を解決してきた。そんなマリィの秘密を、オカルト雑誌が嗅ぎつけた？　急展開のシリーズ第三弾。

ひ-23-4

藤原伊織
テロリストのパラソル
爆弾テロ事件の容疑者となったバーテンダーが、過去と対峙しながら事件の真相に迫る。乱歩賞&直木賞をダブル受賞した不朽の名作。逢坂剛・黒川博行両氏による追悼対談を特別収録。

ふ-16-7

福田和代
バベル
ある日突然、悠希の恋人が高熱で意識不明となってしまう。感染爆発が始まった原因不明の新型ウイルスに、人間が立ち向かう術はあるのか？　近未来の日本を襲うバイオクライシスノベル。

ふ-45-1

誉田哲也
妖《あやかし》の華
ヤクザに襲われたヒモのヨシキが、妖艶な女性・紅鈴に助けられたのと同じ頃、池袋で、完全に失血した謎の死体が発見された——。人気警察小説の原点となるデビュー作。（杉江松恋）
ほ-15-2

（　）内は解説者。品切の節はご容赦下さい。

松本清張
風の視線（上下）
津軽の砂の村、十三潟の荒涼たる風景は都会にうごめく人間の心を映していた。愛のない結婚から愛のある結びつきへ。"美しき囚人"亜矢子をめぐる男女の憂愁のロマン。（権田萬治）
ま-1-17

松本清張
事故 別冊黒い画集(1)
村の断崖で発見された血まみれの死体。五日前の東京のトラック事故。事件と事故をつなぐものは？　併録の「熱い空気」はTVドラマ「家政婦は見た！」第一回の原作。（酒井順子）
ま-1-109

松本清張
疑惑
海中に転落した車から妻は脱出し、夫は死んだ。妻・鬼塚球磨子が殺ったと事件を扇情的に書き立てる記者と、国選弁護人の闘いをスリリングに描く。「不運な名前」収録。（白井佳夫）
ま-1-133

麻耶雄嵩
隻眼の少女
隻眼の少女探偵・御陵みかげは連続殺人事件を解決するが、18年後に再び悪夢が襲う。日本推理作家協会賞と本格ミステリ大賞をダブル受賞した、超絶ミステリの決定版！（巽　昌章）
ま-32-1

麻耶雄嵩
さよなら神様
「犯人は○○だよ」。鈴木の情報は絶対に正しい。やつは神様なのだから。冒頭で真犯人の名を明かす衝撃的な展開と後味の悪さが話題の超問題作。本格ミステリ大賞受賞！（福井健太）
ま-32-2

丸山正樹
デフ・ヴォイス 法廷の手話通訳士
荒井尚人は生活のため手話通訳士になる。彼の法廷通訳ぶりを目にし、福祉団体の若く美しい女性が接近してきた。知られざるろう者の世界を描く感動の社会派ミステリ。（三宮麻由子）
ま-34-1

宮部みゆき
とり残されて
婚約者を自動車事故で喪った女性教師は「あそぼ」とささやく子供の幻にあう。そしてプールに変死体が……。他に「いつも二人で」『囁く』など心にしみいるミステリー全七篇。（北上次郎）
み-17-2

（　）内は解説者。品切の節はご容赦下さい。

宮部みゆき
人質カノン

深夜のコンビニにピストル強盗！　そのとき、犯人が落とした意外な物とは？　街の片隅の小さな大事件と都会人の孤独な肖像を描いたよりすぐりの都市ミステリー七篇。（西上心太）

み-17-4

宮部みゆき
ペテロの葬列（上下）

「皆さん、お静かに」。拳銃を持った老人が企てたバスジャック。呆気なく解決したと思われたその事件は、巨大な闇への入り口にすぎなかった——。杉村シリーズ第三作。（杉江松恋）

み-17-10

道尾秀介
ソロモンの犬

飼い犬が引き起こした少年の事故死に疑問を感じた秋内は動物生態学に詳しい間宮助教授に相談する。そして予想不可能の結末が！　道尾ファン必読の傑作青春ミステリー。（瀧井朝世）

み-38-1

湊　かなえ
花の鎖

元英語講師の梨花、結婚後に子供ができずに悩む美雪、絵画講師の紗月。彼女たちの人生に影を落とす謎の男K……。三人の女性たちを結ぶものとは？　感動の傑作ミステリ。（加藤　泉）

み-44-1

湊　かなえ
望郷

島に生まれ育った私たちが抱える故郷への愛、憎しみ、そして憧憬……屈折した心が生む六つの事件。日本推理作家協会賞・短編部門を受賞した「海の星」ほか全六編を収める短編集。（光原百合）

み-44-2

水生大海
きみの正義は　社労士のヒナコ

学習塾と工務店それぞれから持ち込まれた二つの相談事。無関係に見えた問題がやがて繋がり……（表題作）。社労士二年目のヒナコが、労務問題に取り組むシリーズ第二弾！（内田俊明）

み-51-4

水生大海
熱望

31歳、独身、派遣OLの春菜は、男に騙され、仕事も切られ、騙す側になろうと決めた。順調に男から金を毟り取っていたが、一転、逃亡生活に。春菜に安住の地はあるか？（瀧井朝世）

み-51-3

（　）内は解説者。品切の節はご容赦下さい。

黒面の狐
三津田信三
敗戦に志を折られた青年・物理波矢多が炭鉱で起きる連続怪死事件に挑む！　密室の変死体、落盤事故、黒い狐面の女……。ホラーミステリーの名手による新シリーズ開幕。（辻　真先）
み-58-1

白魔の塔
三津田信三
炭坑夫の次は海運の要から戦後復興を支えようと灯台守の職を選んだ物理波矢多。二十年の時を超える怪異が待ち受けるとも知らず……。大胆な構成に驚くシリーズ第二弾。（杉江松恋）
み-58-2

月下上海
山口恵以子
昭和十七年。財閥令嬢にして人気画家の多江子は上海に招かれたが、過去のある事件をネタに脅される。謀略に巻き込まれた彼女の運命は……。松本清張賞受賞作。（西木正明）
や-53-3

死命
薬丸　岳
若くしてデイトレードで成功しながら、自身に秘められた殺人衝動に悩む榊信一。余命僅かと宣告された彼は欲望に忠実に生きると決意する。それは連続殺人の始まりだった。（郷原　宏）
や-61-1

刑事学校
矢月秀作
大分県警刑事研修所・通称刑事学校の教官である畑中圭介は、小中学校時代の同級生の死を探るうちに、カジノリゾート構想の闇にぶち当たる。警察アクション小説の雄が文春文庫初登場。
や-68-1

刑事学校Ⅱ
矢月秀作
愚犯
大分県警「刑事学校」を舞台にした文庫オリジナル警察アクション第二弾！　成長著しい生徒たちは、市内の不良グループの内偵をきっかけに、危険な犯罪者の存在を摑む。
や-68-2

あしたの君へ
柚月裕子
家裁調査官補として九州に配属された望月大地。彼は、罪を犯した少年少女、親権争い等の事案に懊悩しながら成長していく。一人前になろうと葛藤する青年を描く感動作。（益田浄子）
ゆ-13-1

（　）内は解説者。品切の節はご容赦下さい。

横山秀夫
陰の季節
「全く新しい警察小説の誕生！」と選考委員の激賞を浴びた第五回松本清張賞受賞作「陰の季節」など、テレビ化で話題を呼んだ二渡が活躍するD県警シリーズ全四篇を収録。（北上次郎）
よ-18-1

横山秀夫
動機
三十冊の警察手帳が紛失した——。犯人は内部か外部か。日本推理作家協会賞を受賞した迫真の表題作他、女子高生殺しの前科を持つ男の苦悩を描く「逆転の夏」など全四篇。（香山二三郎）
よ-18-2

横山秀夫
クライマーズ・ハイ
日航機墜落事故が地元新聞社を襲った。衝立岩登攀を予定していた遊軍記者が全権デスクに任命される。組織、仕事、家族、人生の岐路に立たされた男の決断。渾身の感動傑作。（後藤正治）
よ-18-3

横山秀夫
64（ロクヨン）（上下）
昭和64年に起きたD県警史上最悪の未解決事件をめぐり刑事部と警務部が全面戦争に突入。その狭間に落ちた広報官三上は己の真を問われる。ミステリー界を席巻した究極の警察小説。
よ-18-4

米澤穂信
インシテミル
超高額の時給につられ集まった十二人を待っていたのは、より多くの報酬をめぐって互いに殺し合い、犯人を推理する生き残りゲームだった。俊英が放つ新感覚ミステリー。（香山二三郎）
よ-29-1

吉永南央
萩を揺らす雨
紅雲町珈琲屋こよみ
観音さまが見下ろす街で、小さなコーヒー豆の店を営む気丈なおばあさんのお草さんが、店の常連たちとの会話がきっかけで、街で起きた事件の解決に奔走する連作短編集。（大矢博子）
よ-31-1

吉永南央
その日まで
紅雲町珈琲屋こよみ
北関東の紅雲町でコーヒーと和食器の店を営むお草さん。近隣で噂になっている詐欺まがいの不動産取引について調べ始めると、因縁の男の影が……。人気シリーズ第二弾。（瀧井朝世）
よ-31-3

（　）内は解説者。品切の節はご容赦下さい。

連城三紀彦
わずか一しずくの血
群馬の山中から白骨化した左脚が発見された。これが恐るべき連続猟奇殺人事件の始まりだった。全国各地で見つかる女性の体の一部に事態はますます混沌としていく……。（関口苑生）
れ-1-19

若竹七海
依頼人は死んだ
婚約者の自殺に苦しむみのり。受けていないガン検診の結果通知に当惑するまどか。決して手加減をしない女探偵・葉村晶に持ちこまれる事件の真相は少し切なく、少し怖い。（重里徹也）
わ-10-1

若竹七海
悪いうさぎ
家出した女子高生ミチルを連れ戻す仕事を引き受けたわたしはミチルの友人の少女たちが次々に行方不明になっていると知って調査を始める。好評の女探偵・葉村晶シリーズ、待望の長篇。
わ-10-2

若竹七海
さよならの手口
有能だが不運すぎる女探偵・葉村晶が帰ってきた！　ミステリ専門店でバイト中の晶は元女優に二十年前に家出した娘探しを依頼される。当時娘を調査した探偵は失踪していた。（霜月　蒼）
わ-10-3

若竹七海
静かな炎天
持ち込まれる依頼が全て順調に解決する真夏の日。不運な女探偵・葉村晶にも遂に運が向いてきたのだろうか？「このミス」2位、決してへこたれない葉村の魅力満載の短編集。（大矢博子）
わ-10-4

若竹七海
錆びた滑車
尾行中の老女梅子とミツエの喧嘩に巻き込まれ、ミツエの持ち家の古いアパートに住むことになった女探偵・葉村晶。ミツエの孫ヒロトは交通事故で記憶を一部失っていた……。（戸川安宣）
わ-10-5

若竹七海
不穏な眠り
相続で引き継いだ家にいつのまにか居座り、死んだ女の知人を捜してほしいという依頼を受ける表題作ほか三篇。満身創痍のタフで不運な女探偵・葉村晶シリーズ。NHKドラマ化。（辻　真先）
わ-10-6